# Thomas en de Tijdmantel
## Zie je later, gladiator

In de serie
**Thomas en de Tijdmantel**
zijn de volgende boeken verschenen:

Een farao in de klas

\*\*\*

De vikingen zijn terug!

\*\*\*

Zie je later, gladiator

# Thomas en de Tijdmantel
## Zie je later, gladiator

Theresa Breslin

KLUITMAN

*Voor David en Alice in het afgelegen Maniototo*

NEDERLANDSE
**KINDERJURY**
2007

Omslagillustratie: Elsa Kroese
Illustraties binnenwerk: David Wyatt
Nederlandse vertaling: Suzanne Buis
Dit boek is gedrukt op chloorvrij gebleekt papier,
dat vervaardigd is van hout uit productiebossen.

Nur 283/SC020601
© MMVI Nederlandse editie:
Uitgeverij Kluitman Alkmaar B.V.
© MMIII Theresa Breslin
First published in Great Britain by Doubleday,
a division of Transworld Publishers.
Oorspronkelijke titel: *Dreammaster. Gladiator*

**www.kluitman.nl**

BIJ KONINKLIJKE BESCHIKKING
HOFLEVERANCIER

*Iedere droom heeft*
*een Droommeester nodig,*
*om de dromen onder controle*
*te houden. Mijn droommantel*
*helpt me om door Tijd en Ruimte*
*te reizen, om jou de dromen te geven*
*die je hebben wilt. Maar soms*
*komen mensen met een heel*
*levendige fantasie in hun eigen*
*dromen terecht. Dan kunnen*
*er problemen ontstaan…*

# 1

„Weet jij iets over vulkanen?" Thomas stopte met het rommelen in zijn boekenkast en draaide zich om naar de
ongerust kijkende dwerg die in kleermakerszit op zijn bed
zat, bezig met het opvouwen van een grote, zijdeachtige
cape.

„Droommeester," zei Thomas wat luider. „Ik heb snel
wat feiten nodig over een bekende vulkaan."

De kleine man keek niet op. „Etna, Olympus Mons, Krakatau, Mount Saint Helens. Welke?"

„Allemaal. Maakt niet uit." Thomas stapte snel opzij
toen een stapel boeken neerstortte op de slaapkamervloer.
„Ik moet volgende week een opdracht over vulkanen
afhebben, voor school."

De Droommeester keek op. „De laatste week voor je een
grote schoolopdracht af moet hebben, is níét de juiste tijd
om het onderwerp te onderzoeken."

„Heb jij dan een beter idee?" vroeg Thomas. „De week erna?"

De Droommeester keek hem ernstig aan. „Je hebt weken de tijd gehad voor die opdracht. Je moet de dingen niet tot het laatste moment uitstellen."

„Ik kan er niets aan doen. Onze computer is stuk, dus kon ik niet op internet zoeken," legde Thomas uit. „Ga je me helpen of niet?"

„Wat wil je dat ik doe?" vroeg de kleine man chagrijnig. „Moet ik mijn droomcape gebruiken om je een vulkanentoer te geven? Vulkanen zijn extreem gevaarlijk," voegde hij er snel aan toe, want Thomas deed zijn mond al open om 'ja' te zeggen. „Je wilt er echt niet bij in de buurt zijn als zo'n ding uitbarst."

„Nou, misschien een bééétje... in de buurt?"

„Vliegende vulkaan!" snauwde de Droommeester. „Toen de Krakatau uitbarstte, kon je dat bijna vierduizend kilometer verderop horen. De uitbarsting veroorzaakte een tsunami, een enorme vloedgolf, die aanspoelde in Australië. Wat vulkanen betreft, is 'een beetje in de buurt' onmogelijk."

„O, oké," zei Thomas geruststellend. „Een dode vulkaan is ook goed." En omdat de Droommeester niet antwoordde, smeekte Thomas: „Kun je je droommantel niet gewoon omhooghouden en mij er even doorheen laten kijken? Als we ons nou allebei op vulkanen concentreren, dan moeten we wel iets zien."

De Droommeester aarzelde.

„Ik zal heel goed opletten dat ik alleen aan niet-actieve vulkanen denk." Thomas wist dat de Droommeester vaak klaagde dat Thomas zijn fantasie de vrije loop liet wanneer hij in zijn droomwereld was. Hij pakte een notitieblokje en een potlood van zijn bureau en schreef snel de vier vulkanen op die de Droommeester genoemd had. „Kijk, ik zal aantekeningen maken. Het wordt mijn eigen werkstuk, bijna."

„Het probleem is..." De Droommeester trok een van de vouwen van de droomcape te voorschijn. „Het probleem is dat een 'snel kijkje' niet eens gaat lukken. Moet je kijken hoe dit eruitziet!"

„Wat?" Thomas deed het notitieblokje in zijn zak en ging naast de kleine man zitten. Hij keek naar het gedeelte van de droomcape dat de Droommeester op zijn bed had uitgespreid. Het patroon van Thomas' dekbed was duidelijk zichtbaar door de dunne stof. „Ik zie niets."

„Precies," zei de Droommeester. „Mijn droomcape en ik zijn tot op de draad versleten door jou en die wilde dromen van je. Als het geen vikingen zijn, dan zijn het wel uitgestorven Egyptenaren. Elke keer als ik je een kans geef om zelf wat aan je dromen te doen, moet ik alles op alles zetten om jou uit de buurt van het gevaar te houden. Waarom kun je niet net zo zijn als de meeste eenentwintigste-eeuwse mensen die gaan slapen en hun Droommeester hun dromen laten regelen? Zíj zijn best blij dat hun dromen zich in hun hoofd afspelen. Zo hoort dat ook te gaan, zo dromen menselijke wezens. Waarom moet ik de ongelooflijke dikke pech hebben om de Droommeester te zijn van een lastig jongetje dat alles verkeerd om wil doen?" voegde hij er bitter aan toe.

Thomas wilde niet zeggen dat zijn dromen stukken

beter waren wanneer hij het voor elkaar kreeg om in zijn eigen dromen te komen en zijn eigen verhalen bij elkaar te dromen. Dus in plaats daarvan zei hij: „Mijn dromen zijn interessant. Dat heb je zelf gezegd. Je zei tegen me dat je leven opwindender was geworden, sinds je mij laat meedenken over het verhaal van mijn dromen."

De Droommeester veegde met zijn hand langs zijn gezicht. „'Opwindend' is niet altijd leuk. In deze fase van mijn leven kun je ook te veel opwinding hebben. Mijn droommantel wordt dun. Ik denk dat jouw fantasie hem begint uit te putten."

Thomas keek naar de uitgespreide droomcape op zijn bed. Sommige delen leken doorzichtig. Als een droom bijna van start ging, dan gonsde de mantel als wind door telefoondraden. Maar nu lag hij passief en onbeweeglijk op het bed. „Is er niet een manier om hem te repareren?" vroeg hij.

„Ik weet het niet," zei de Droommeester, kauwend op zijn baard. „Het is voor het eerst dat hij er zo dunnetjes uitziet." Hij aarzelde.

„Wat?"

„Nou, kijk daar." De Droommeester wees naar de zoom van zijn droommantel. „Weet je nog dat er aan het eind van de Egyptische droom een stukje van mijn mantel afscheurde?"

„Ja," knikte Thomas. „Toen we uit de Vallei der Koningen weggingen, hield ik de mantel zo stevig vast, dat er een stukje afscheurde. Wat is daarmee?"

„Nou, het deel van de mantel waar dat stukje van afscheurde, is helemaal verdwenen. Het is onzichtbaar, alsof… alsof… mijn droommantel lekt."

„Lekt?" herhaalde Thomas. „Hoe bedoel je?"

„De energie of waar hij dan ook van gemaakt is, lekt weg," zei de Droommeester chagrijnig.

„Waar ís hij van gemaakt?" wilde Thomas weten.

„Het is te moeilijk om aan jou uit te leggen," antwoordde de Droommeester snel. „Je bent te jong en te… te… menselijk om het te begrijpen."

Thomas kreunde. Volwassenen deden altijd zo als ze geen zin hadden om iets uit te leggen, of als ze niet wilden toegeven dat ze het zelf ook niet echt wisten. Bijna elke volwassene, behalve zijn opa dan – die zei altijd: „Begrip hangt af van de juiste uitleg."

„Mijn opa," begon Thomas, „zegt dat begrip afhangt van…"

„Hoe dan ook, op dit moment maakt het niet uit van wat voor energie hij gemaakt is," onderbrak de Droommeester hem onbeleefd. „Waar ik me zorgen over maak, is waar de energie van mijn droommantel heen gaat."

„Misschien moeten we proberen om dat afgescheurde stukje er weer aan te naaien?" stelde Thomas voor.

De Droommeester keek Thomas vies aan. „Alsjeblieft! Wie denk je dat ik ben? Peter Pan?"

Thomas sprong van het bed en op zijn knieën trok hij voorzichtig de onderste la van zijn ladekast open. Achterin lagen zijn waardevolle dingen, verstopt voor zijn nieuwsgierige oudere zus Laura. Hij schoof zijn fossielen, opa's oorlogsmedaille en het lucifersdoosje met woestijnzand opzij. Daar, onder de rest, lag het stukje droomzijde dat van de Droommeesters mantel gescheurd was. Het was vreemd hoe het soms kon bewegen als kwik, terwijl het nu gewoon scheen te slapen. Het leek of het lag te wachten, vond Thomas. Zo onschuldig en toch zo machtig, met elke droom die hij ooit zou kunnen hebben, erin verborgen.

Thomas wist dat hij heel, heel voorzichtig moest zijn met waar hij aan dacht wanneer hij de droomzijde aanraakte. Zijn Droommeester had hem al vaak gewaarschuwd: „Vergeet niet dat je in een droom alles kan overkomen wat de fantasie toestaat. Alles kan gebeuren – werkelijk alles."

Thomas hield zijn gedachten alleen op de droomzijde gericht en haalde langzaam het stukje rode stof te voorschijn. Het zag er anders uit, maar hij wist niet op wat voor manier. Toen hij zijn arm uitstrekte om het aan de Droommeester te laten zien, golfden de randen over zijn hand. „Kunnen we dit niet weer vastmaken aan het grote deel van de mantel? Dit afgescheurde stukje ziet er beter uit, alsof het meer energie heeft. Misschien helpt het om de mantel op te laden."

„Het kan ook een stroom ongekende krachten op gang brengen." De Droommeester wilde het stukje oppakken, maar stopte, met zijn vingers nog maar een millimeter van de droomzijde. Hij bekeek de stof in Thomas' hand nauwkeurig. „Sukkelende Stromboli," fluisterde hij.

„Wat is er?" Thomas merkte ineens dat het stukje zijde warm was geworden in zijn hand.

„Ik zie trammelant," zei de Droommeester. „Zie je niet hoe dat stukje droomzijde is veranderd? Hoe het gegroeid is?"

12

Natuurlijk! Thomas zag nu wat er anders was aan het stukje van de mantel sinds hij het de laatste keer gezien had. Het gescheurde stukje had ooit in de palm van zijn hand gepast. Nu viel het over de zijkanten en gleed het over zijn vingers. En terwijl hij ernaar staarde, voelde hij hoe het zacht begon te trillen. Snel legde hij het op het bed.

„Kijk!" jammerde de Droommeester en hij hield de rafelige zoom omhoog. „Mijn droommantel is afgetakeld aan het einde. Jouw stuk wordt sterker."

„Echt waar?" vroeg Thomas ademloos. Ja, de Droommeester had gelijk. Als Thomas naar het stukje droomzijde keek, leek het licht te geven. En het bewoog. In tegenstelling tot de Droommeesters eigen mantel, die stil op Thomas' bed lag.

Thomas keek op. Het was een warme dag, zijn slaapkamerraam stond open, maar er was geen wind. Toch trilde de zijde levendig. Thomas stak zijn hand uit.

„Raak het niet aan!" schreeuwde de Droommeester. Hij probeerde Thomas' arm weg te slaan.

Te laat.

Bij de aanraking van Thomas' vingers ontstond er een verblindende scheur, het gebrul van hete, stormende lucht, en Thomas en zijn Droommeester werden in de draaikolk van de Tijdruimte gezogen.

## 2

Thomas trilde toen de Droommeester zijn hand naar hem
uitstak. Hij probeerde de hand te pakken, maar draaide
weg en begon nog verder en sneller te vallen.

„Dit gaat helemaal fout!" riep de Droommeester.

Thomas werd bang. De Droommeester had gelijk. De
dingen gingen niet zoals het hoorde. Het wás allemaal
anders, maar Thomas wist niet waarom. In zijn vorige
dromen bewogen Tijd en Ruimte meer geordend. Dit was
een enge, rommelige chaos.

In de verte hoorde Thomas de Droommeester schreeuwen: „Concentreer je! Thomas, concentreer je!"

Alles ging te snel. Thomas greep zijn stukje droomzijde.
Waar had hij aan gedacht, daar in zijn slaapkamer? Hij
moest zich er snel weer op richten, want anders...

Een gat van licht verscheen in de duisternis. Er klonk
een luide knal – Thomas en de Droommeester botsten

tegen elkaar aan, doken toen door een gat in de Tijdruimte en landden boven op elkaar.

„Waar zijn we?" Thomas probeerde overeind te krabbe-
len en keek om zich heen. Hij stond op keien en rotsen.
„Het lijkt wel een soort heuvel." Mist en een nevelachtige
damp zorgden ervoor dat hij niet ver kon kijken. „Het zou
een berghelling kunnen zijn."

„Denk je?" De Droommeester had moeite om overeind
te blijven op het rotsige terrein. „Dénk je? Je hoort het te
wéten." Hij wees naar het stukje droomzijde dat Thomas
nog steeds in zijn hand geklemd hield. „Het is jouw
droom. Dus jij moet het weten." Hij tuurde door de mist.
„Heeft deze berg een naam?"

„Ik ben niet zo goed in het onthouden van namen," antwoordde Thomas.

De Droommeester richtte zich met een doordringende
blik tot Thomas. „Het zou geen kwestie moeten zijn van
onthouden. Je hoort de naam van de berg waarop we
staan te weten. We kunnen in een droom niet ergens aan-
komen zonder dat de Droommeester van de droom het
eerst gedacht heeft."

Thomas begon het erg warm te krijgen en dat kwam
niet alleen doordat de Droommeester hem vragen stelde
waarop hij het antwoord niet wist. „Nou," hij stroopte
zijn mouwen op, „het is een wárme berg. Dat weet ik
wel."

„Warm," zei de Droommeester, met een gezicht dat
steeds roder werd. „Dat kun je wel zeggen, ja. Het is bla-
renbrandend heet, en toch…" Hij keek op naar de lucht.
„Er is geen zon, dus waar komt die hitte vandaan?"

Thomas tuurde naar zijn voeten. „Zo te zien komt er stoom uit de grond."

De Droommeester keek omlaag. Een paar meter verderop liep een stroompje oranjerode vloeistof in hun richting. „Lava!" krijste hij. „Roodgloeiende lava! Je had me beloofd dat je alleen dode vulkanen wilde zien!"

„Eigenlijk heb ik aan geen enkele vulkaan gedacht," zei Thomas.

„Nou, waar dacht je dan wel aan?" vroeg de Droommeester dwingend. „Je hield jouw stuk van de cape vast toen dit gebeurde. Er moet iets in je gedachten zijn geweest wat ons hier heeft gebracht."

Thomas dacht even na, voor hij zijn hoofd schudde. „Eh… niks."

„Dat is onmogelijk," gromde de Droommeester. „Je kunt niet zomaar aan níks denken!" Hij rolde met zijn ogen. „Waarom," brieste hij, „krijg ík bij het organiseren van dromen altijd de idiote, onnadenkende imbeciel van wie de fantasie…"

„Wacht eens even," begon Thomas. „Jij bent degene die mij de gedachtecontrole heeft geleerd, zodat ik mijn dromen beter kan besturen. Probeer je aan je eigen adviezen te houden." Thomas stond voor de Droommeester en sprak hem streng toe. „Doe eens rustig."

„Ik doe mijn best," knikte de Droommeester. „Het is niet makkelijk." Hij haalde diep adem. „Jij bent een erg… uitdagende… leerling."

„Misschien," hield Thomas vol, „maar een goed voorbeeld is de beste leraar. Je zou me moeten laten zíen hoe ik me moet gedragen. Jij bent nooit erg geduldig."

„Als je een expert bent, zoals ik," zei de Droommeester, „dan heb je niet zoveel geduld nodig."

„Als jij zo'n expert bent, zorg dan maar dat we hier wegkomen," vond Thomas.

De Droommeester zwaaide zijn arm naar achteren om de grote vouwen van zijn droomcape op te pakken... en greep in de lege lucht.

„Wat is er?" vroeg Thomas weifelend toen hij de uitdrukking van puur ongeloof op het gezicht van zijn Droommeester zag.

„Hij is er niet." De Droommeester begon als een razende op zijn baard te kauwen. „Jij potsierlijke, prutsende prepuber!" brulde hij. „Mijn droomcape! Mijn waardevolle droomcape! Hij ligt nog steeds op je bed!"

„Nee, hè!" zei Thomas.

De Droommeester stampte uit kwaadheid met zijn voet op de grond, greep ineens zijn tenen vast en begon op de andere voet rond te hinken. „Au! Au! Au! Ik heb me gebrand!"

„Probeer nou rustig te blijven," zei Thomas, zelfverzekerder dan hij zich voelde. „Ik weet zeker dat we hier weg kunnen."

Er klonk een ongelooflijke knal. Thomas en de Droommeester werden opgetild in een explosie van energie. De Tijdruimte werd groter en kleiner, als een enorm elastiek. Ze schoten naar voren en stopten onverwachts, balancerend op het randje van een gigantische krater.

„Dat ziet er beter uit." Thomas haalde zijn notitieblokje te voorschijn en begon te schrijven. „Déze vulkaan is wél uitgewerkt en een stuk koeler."

„Koeler!" herhaalde de Droommeester geïrriteerd. „Het vriest hier! Schiet op en maak die aantekeningen, dan kunnen we hier weg." Hij gluurde in het diepe, lege gat. „Waar is 'hier' eigenlijk?"

Thomas gaf geen antwoord.

„Je weet het nog steeds niet! Kijk, Thomas," zei de Droommeester ernstig. „Het is onveilig om zo door de Tijdruimte te reizen. Je begrijpt toch wel dat het net zoiets is als met een verhaal? We moeten een soort volgorde hebben om te weten waar we heen gaan."

„Volgorde," herhaalde Thomas. Hij keek naar zijn notitieblok. En daar zag hij de namen van de vulkanen die de Droommeester eerder opgenoemd had. „Ik snap het!"

De Droommeester begreep het bijna op hetzelfde moment als Thomas. „We bezoeken de vulkanen in de volgorde die jij hebt opgeschreven! De eerste, met de lavastroom, was de Etna, op Sicilië. Die is nog actief. Nu zijn we dus op de Olympus Mons op Mars. Daarom is het hier zo koud!"

„En de volgende is de Krakatau."

Thomas was amper uitgesproken, toen de Droommeester en hij met een enorme bons op de bodem van een klein bootje vielen.

„Niet de Zuid-Chinese Zee!" kreunde de Droommeester.

„Is dat vlak bij de Krakatau?" vroeg Thomas.

„We willen níét in de buurt zijn van de Krakatau," zei de Droommeester. „De vloedgolf, weet je nog?"

Thomas keek op zijn notitieblok en las hardop: „Etna, Olympus Mons, Krakatau, Mount Saint He…"

De Droommeester greep het boekje uit Thomas' hand. „Zeg het niet!" schreeuwde hij. „DENK HET ZELFS NIET! Die laatste op je lijst is de gevaarlijkste van allemaal. Als je je ook maar een beetje had verdiept in je onderwerp, dan zou je weten dat de kracht waarmee de top van die berg geblazen werd, gelijkstond aan meer dan duizend kernbommen. De uitbarsting heeft de hele omgeving kilometers ver verbrand. Als we daar ook maar een beetje in de buurt komen, is het afgelopen met ons allebei."

„Kan ik voorkomen dat we daarheen gaan?" vroeg Thomas."

„Natuurlijk kun je dat. Het is jouw droom." De Droommeester sprak langzaam en duidelijk. „Maar je moet je wel... heel... goed... concentreren."

Een deel van Thomas' hersenen had door dat de kleine man tegen hem praatte zoals sommige volwassenen tegen heel oude, heel jonge of heel gekke mensen spreken. Hij is bang, dacht Thomas. Hij is zo doodsbang, dat hij voor het eerst vergeet om tegen me te schreeuwen. „Ik heb hulp nodig," fluisterde Thomas.

De Droommeester greep zijn arm. „Denk aan een andere vulkaan," moedigde hij hem aan.

„Dat kan ik niet." Zoals altijd in een lastige situatie, waren Thomas' hersenen naar de bodem van zijn hoofd gezakt.

Thomas schudde zijn hoofd. Er moest toch een soort veilige gedachte zijn in zijn hoofd... iets geruststellends...

Ineens was er vanuit het niets een vage verschijning in de lucht boven het bootje.

De Droommeester zwaaide met zijn armen. „Wat gebeurt er? Wat vliegt daar?"

„Het is Peter!" zei Thomas. „Peter Pan!"

„Ik hou dit niet meer vol!" schreeuwde de Droommeester. „Stuur hem weg. Hij kan ons hier niet mee helpen."

Thomas had het bekende paniekerige gevoel dat de dingen voor hem te snel gingen om bij te houden. Dat gebeurde soms ook in de klas, als hij hardop moest lezen. Juf Marjan gaf hem meestal de tijd om zijn gedachten op orde te brengen, maar zelfs zij werd wel eens ongeduldig. „Waarom kan ik nooit snel iets bedenken, of in elk geval snel genoeg?" klaagde hij. „Mijn hersenen werken niet op snelheid, vooral niet als ik onder druk sta."

„Hou op met zeuren," snauwde de Droommeester, „en denk aan iets wat nu nuttig is."

„Ik probéér ook om aan iets te denken. Ik moet aan Peter Pan gedacht hebben, maar dat had te maken met het aan elkaar naaien van jouw cape." Thomas wendde zich tot de Droommeester. „Waarom werkte dat dan niet? Waarom gingen we niet verder naar een droom over Peter Pan?"

„Doe niet zo dom," krijste de Droommeester, die de controle weer kwijt begon te raken. „Heb je dan niets geleerd in al die dromen die je al gedaan hebt? Er moet een verband zijn."

„Een verband?" herhaalde Thomas.

„Ja," knikte de Droommeester ongeduldig. „Je kunt niet zomaar van het ene onderwerp naar het andere springen, tenzij je een verband legt."

„Wat is dat dan?" vroeg Thomas.

„Een overgang," riep de Droommeester. „De verandering van de ene toestand naar de andere. Probeer een manier te vinden om van de ene scène naar de volgende te gaan zonder dat je de greep op het verhaal verliest – of in jouw geval: op de droom."

„Eh…" Thomas staarde door de motregen die inmiddels viel. De wind nam toe en door de bewegingen van de zee begon hun bootje te schommelen.

„Heb je dan helemaal geen onderzoek gedaan?" schreeuwde de Droommeester tegen Thomas.

„Natuurlijk wel," schreeuwde Thomas terug.

„Nou, probeer je er dan iets van te herinneren. Bedenk iets om ons hier weg te krijgen."

„Ik weet een goede vulkaan," bedacht Thomas opeens. „De Vesuvius. Die is al een tijd niet uitgebarsten."

„En hopelijk gebeurt het nooit meer," zei een zachte stem in de buurt van Thomas' elleboog.

Thomas keek om. Hij stond tussen wijngaarden, op een zonnige heuvel. Een jonge vrouw stond naast hem.

„Alhoewel," ze keek omhoog, „de hemel is erg bewolkt geweest, wat niet normaal is voor deze tijd van het jaar, en er waait een vreemd briesje voor de kust. Zoiets." Ze blies zacht in Thomas' gezicht.

# 3

„Wakker worden, Thomas. Wakker worden."

„Wendy?" zei Thomas. „Wendy van Peter Pan?" Hij knipperde met zijn ogen en keek naar de persoon die tussen hem en het licht van zijn slaapkamerraam stond. Het wás Wendy! Ze moest gekomen zijn om Peter Pans schaduw vast te naaien. Mooi, dacht Thomas, dan kan ze meteen de cape even maken.

Maar ze lachte toen Thomas dit voorstelde. „Ik dacht het niet," zei ze. „Vanmiddag gaan jij en ik winkelen."

„Mam!" stootte Thomas uit.

„Je was aan het dromen," verklaarde Thomas' moeder. „Kom op, we gaan vandaag 'ns nieuwe kleren voor je kopen."

Thomas ging rechtop zitten. „Alsjeblieft niet. Ik heb het erg druk vandaag. Ik moet een werkstuk maken voor school."

„We moeten wat nieuwe kleren kopen," hield zijn moeder vol. „Ik vind het ook niet leuk. Doe nou niet zo moeilijk. Laura heeft ook al tegen me lopen zeuren en we zijn nog niet eens begonnen."

„Kun je niet gewoon zelf wat kopen? Ik trek het heus wel aan," smeekte Thomas. „Je weet dat het me niet uitmaakt hoe het eruitziet. Ik draag alles."

„Geen goed plan, Thomas," zei zijn moeder. „Het bespaart tijd als je meegaat. Dan weet ik dat we de juiste maat hebben."

„Het bespaart mij geen tijd," mopperde Thomas en hij stond op. Dit werd een middag vol martelingen. Laura en zijn moeder zouden in elke winkel de strijd aangaan en het niet eens zijn over wat goede kleding was waarin je je kon vertonen op school. Daarvoor zou een vredescommissie nodig zijn, nog machtiger dan in een land vol oorlog.

„Ik wil graag dat je over tien minuten beneden staat, klaar om te vertrekken." Thomas' moeder stopte voor ze bij de deur was. „Het ruikt hier branderig. Je hebt toch niet met lucifers gespeeld, hè Thomas?" Ze keek hem onderzoekend aan.

„Nee!" antwoordde Thomas.

Zijn moeder liep naar het raam. „O, het is meneer Verbruggen van hiernaast, hij heeft daar een flinke fik. Er is zeker wat rook naar binnen gewaaid." Ze veegde de roetsporen van het raamkozijn. „Ik vraag me af wat hij aan het verbranden is." Ze rimpelde haar neus. „Het is een erg sterke geur."

Slepend met zijn voeten liep Thomas achter zijn moeder aan de kamer uit. Toen stopte hij en hij stak zijn neus in de lucht. Zijn moeder had gelijk. Er hing inderdaad een vreemde geur in zijn kamer. Maar het was niet de rook van het vuur van de buurman.

Het rook naar zwavel, dat wist hij zeker. De geur die je krijgt bij rottende eieren. Dezelfde geur die rond een vulkaan hing als hij op het punt stond om uit te barsten...

„Dat rokje is véél te kort."

Op de afdeling tienerkleding waren Thomas' moeder en zijn zus Laura verwikkeld in een modestrijd.

„Welnee." Laura trok aan de zoom van het piepkleine stretchrokje, dat tegen de bovenkant van haar benen plakte. Daarna keerde ze zich met een ruk om en verdween in de kleedkamer, waar ze het gordijn dichttrok.

„Laura, kom naar buiten!" riep Thomas' moeder. Ze deed haar mond open om weer iets naar Laura te roepen, maar toen bedacht ze zich. „Denk aan de communicatiecursus," hoorde Thomas haar zacht mompelen. „Gun jezelf de tijd om je gedachten te ordenen. Adem bewust. In door je neus en uit door je mond." Thomas' moeder snoof diep en liet de lucht toen voorzichtig door haar mond ontsnappen. „Langzaam, langzaam. Nu..." Ze vertrok haar gezicht in een nepglimlach. „Laura, schat," zei ze op vrolijke toon. „Kom er maar uit en laat me nog eens kijken. Alsjeblieft," voegde ze er snel aan toe.

Thomas haatte winkelen. Hij haatte het vooral om kleren te kopen. En hij haatte het nog meer om met zijn zus erbij te winkelen. Laura en zijn moeder kregen over elk dingetje ruzie. Als Thomas spullen voor school moest hebben, koos hij meestal de gemakkelijkste weg. Tenzij

24

zijn moeder hem echt iets heel verschrikkelijks aansmeer-
de, stond hij er maar een beetje bij, zoals vandaag, met
zijn armen omhoog en weer omlaag, terwijl ze broeken
tegen zijn middel hield en truien tegen zijn schouders. Als
hij gedwongen werd om iets aan te trekken, deed hij dat
zo snel hij kon en zorgde hij dat hij niets in de spiegel zag.
Zijn zus Laura vond alles wat hun moeder uitkoos verkeerd. Broek, rok, shirt, trui, schoenen, alles. Ze was het er
nooit mee eens.

Eén keer, toen Thomas' moeder ziek was, had Laura
genoeg geld meegekregen voor alles wat ze nodig had om
na de zomervakantie weer naar school te gaan. Na negen
uur winkelen met haar vriendinnen was ze thuisgekomen
met maar één ding: een jack van een duur merk.

Thomas' moeder was wit weggetrokken. „Je had ook
twee broeken, een trui, schoenen en nog een paar andere
dingen moeten kopen."

„Je verwacht toch niet dat ik lelijke, goedkope kleren ga
dragen," had Laura geprotesteerd.

Daarna had hun moeder besloten dat ze altijd mee zou
gaan.

Nu kwam Laura weer uit de kleedkamer en ze ging
voor haar moeder staan.

„Hm." Thomas' moeder wenkte de verkoopster. „Hebt
u ook iets langere rokken?"

Het meisje rolde met haar ogen. „Deze lengte is nu in de
mode, ze zijn allemaal zo kort."

Laura en het meisje wisselden een blik van verstand-
houding over het hoofd van Thomas' moeder.

„Ze worden niet langer gemaakt," voegde de jonge

verkoopster eraan toe. Ze hield haar hoofd schuin. „Is prima, zo te zien."

Laura keek haar dankbaar aan.

Thomas' moeder slikte. „Ik vind de rok erg kort," protesteerde ze zwakjes.

Thomas deed zijn ogen dicht. Het ging altijd op dezelfde manier. Hij wenste dat hij ergens anders was dan op de tienerafdeling van de kledingzaak. Hij gleed met zijn hand in de zak van zijn sweatshirt. Zijn vingers kwamen tegen het stukje droomzijde aan. Waar was hij eigenlijk precies geweest, eerder, met de Droommeester?

„Die rok is veel te lang." De stem van een oudere vrouw klonk streng. „Er moet nog een zoom in."

Thomas knipperde met zijn ogen.

„Moeder," zei een net zo krachtige, maar veel jongere stem, „deze lengte is hoe ik mijn kleren wil dragen."

Thomas knipperde weer. Wat was er gebeurd? De ene minuut stond zijn moeder vol te houden dat Laura's rok langer moest en nu beweerde ze ineens het tegenovergestelde. Thomas deed zijn ogen wijd open. Zijn gedachten maakten een vreemd sprongetje en kwamen toen tot rust.

Om Thomas heen was alles veranderd. Vanuit de felverlichte eenentwintigste-eeuwse modeafdeling was hij dwars door de Tijdruimte geschoten, naar… waar?

Hij was in een winkel. Maar deze winkel was van de vloer tot het plafond volgestouwd met stoffen. Stoffen in stapels, op de rol, hangend aan de muren en van het plafond. En zulke verschillende kleuren en soorten materiaal. Diep donkerblauw, strepen, zijde en katoen.

Thomas keek om de hoek van een van de stapels stof. In

plaats van zijn moeder en zijn zus Laura waren nu twee heel andere mensen bezig met eenzelfde verhitte discussie. Het meisje had een stuk paarse stof om haar middel gewikkeld en haar moeder zat op een laag bankje naar haar te kijken. Een man met een sikje leek de winkeleigenaar te zijn. Hij hield een paar andere rollen stof onder zijn arm.

„Kijk…" Het meisje richtte zich tot de winkeleigenaar. „Vallen de plooien van de stof niet sierlijk op de grond?"

„Inderdaad. Inderdaad." De man boog zijn hoofd. „Dat Tyrische purper komt prachtig uit zo."

„Ik vind dat het een stuk korter moet," zei de moeder van het meisje. „De straten zijn stoffig in de zomerse hitte en de keitjes zijn nat in de winter. Het is beter wanneer het gewaad niet op de grond valt."

„Ik kan het ophalen met een riem," zei het meisje.

„Dan, Rhea Silvia, zou je op het hoofd van de school lijken, Celia Andinus," zei de oudere vrouw. Ze wendde zich tot de winkeleigenaar. „Nietwaar, meneer Darius?"

„Inderdaad," knikte de koopman. Hij keek van de dochter naar de moeder en hield zijn gezicht in de plooi. „Inderdaad," herhaalde hij.

„Hij zegt alles wat ze willen horen, als ze dan maar wat kopen," fluisterde een stem dicht bij Thomas.

Thomas sprong op en draaide zich om. Er zat een jongen naast hem, die iets jonger was dan hijzelf. Hij had een gelig stuk papier in zijn hand en tekende erop met een vreemde pen. Hij onderbrak zijn bezigheden om tegen Thomas te praten.

Thomas slikte. Het leek erop dat er een antwoord van

hem werd verwacht. „Inderdaad," zei hij. „Inderdaad."

De jongen lachte. „Jij bent grappig. Ik ben echt heel blij dat mijn vader je gekocht heeft om mijn persoonlijke slaaf te zijn."

Thomas' hart sloeg over. „Slaaf?" zei hij. „Ben ik jouw slaaf?"

De jongen knikte. „Dat weet je toch nog wel? Mijn vader heeft je gisteren gekocht. Op de markt bij de haven van Ostia, toen hij op weg was naar Rome. Ik denk dat je net was aangekomen, met de andere gevangenen uit het noorden."

Thomas schudde zijn hoofd. Kon hij dan nooit eens zijn dromen organiseren zoals hij het wilde? Als hij het oude Rome ging bezoeken, dan was hij veel liever een commandant van het Romeinse leger geweest of een Meester van de Gladiatoren. Hij begon dit zat te worden. In zijn vikingendroom was hij een varkenshoeder geweest en nu in het oude Rome was hij een slaaf. „Dus ik ben een slaaf," zei hij treurig.

„Kijk niet zo bezorgd," merkte de jongen op. „Het heeft veel voordelen om een Romeinse slaaf te zijn. Je hebt bepaalde rechten en je kunt zelfs op een dag vrij man worden. Mijn vader zei dat je goed geschoold lijkt te zijn, dus je bent ook mijn leraar. Zeg me wat je van mijn tekening vindt." Hij hield het vel papier omhoog. „Ik heb een tekening van een hond gemaakt. Het is een kopie van een van mijn vaders mozaïeken. Het is een wilde hond. Ik ga eronder zetten: 'Pas op voor de hond'."

Thomas keek naar de tekening van de jongen. Een gevaarlijk uitziende hond met puntige oren gromde naar hem. „Goed, zeg," zei hij. „Hoe heet jij?"

„Linus."

„Linus, het zou er nog beter uitzien als je hem niet liggend zou afbeelden. Je kunt hem ook tekenen alsof hij wil opspringen, bijvoorbeeld. Actie maakt de tekening interessanter."

„Dank je," zei Linus blij. „Ik teken heel veel. Ik wil net als mijn vader later ontwerpen maken voor mozaïeken. Ik wil landschappen maken en stadsgezichten, maar huiseigenaren willen een afbeelding van een hond in de vloer bij de ingang van hun huis."

De moeder van Linus had hen horen praten. Ze keek opzij. „We moeten ook maar wat stof kopen om geschikte kleren te maken voor de nieuwe slaaf."

Thomas keek gealarmeerd naar het korte jurkje dat de jongen naast hem aanhad. „Ik doe géén rok aan," zei hij.

Linus' moeder fronste haar voorhoofd. „Een slaaf bepaalt niet wat hij wel of niet wil dragen."

„Dat hoort niet, nee," was Linus het met zijn moeder eens. „Maar vader heeft gezegd dat hij van mij is. En ik vind dat hij toestemming moet hebben om kleren uit zijn eigen land te dragen." Hij keek naar Thomas' T-shirt en broek. „Hoe vreemd die ook zijn."

„Goed dan," gaf zijn moeder toe. „We nemen deze paarse stof. Ik heb geen tijd om met mijn dochter te bekvechten. Ik vertrek vanavond naar  Rome, en ze moet de juiste kleren hebben voor ik wegga."

Achter de rug van de oudere vrouw zag Thomas dat de winkeleigenaar Darius en Linus' zus Rhea Silvia blikken uitwisselden.

Toen schudde alles voor zijn ogen, waarna het weer stilstond.

„Wat was dat?" vroeg Thomas.

„Het is augustus," vertelde Rhea Silvia's moeder. „De aarde trilt altijd tijdens de hete zomermaanden."

Thomas kneep zijn ogen samen. De figuren voor hem bewogen weer op een vreemde, wegglijdende manier.

„We gaan."

Nu hoorde hij zijn moeders stem.

„Ophouden met dromen, Thomas."

Thomas sperde zijn ogen wijd open. Zijn moeder zwaaide met haar hand voor zijn ogen. Ze boog, om hem beter te kunnen bekijken. „Je bent erg bleek, je ziet eruit alsof je wel wat frisse lucht kunt gebruiken. Kom op. Ik geef het winkelen op. Ik zet je op de terugweg af bij de bibliotheek."

# 4

„Alle boeken over vulkanen zijn uitgeleend," zei de bibliothecaresse, „en de internetcomputers zijn de rest van de dag volgeboekt."

„Nee, hè!" verzuchtte Thomas. „Ik heb informatie nodig en onze computer thuis is in reparatie."

„Het beste wat ik je kan bieden, is een internetsessie voor morgen." Ze klapte het internetafsprakenboek open. „Jij bent Thomas Sierhuis, toch?" Ze glimlachte toen Thomas knikte. „Ik dacht al dat ik je gezicht herkende, Thomas. Ik schrijf je op voor internettoegang voor morgen," ging ze verder. Ze gaf Thomas een papiertje waarop de tijd van zijn internetafspraak stond.

Thomas hield het papiertje vast en bedacht waar hij dat het beste kon stoppen om te zorgen dat hij de afspraak niet zou vergeten. Het probleem was dat hij heel veel dingen vergat. En vaak waren het echt belangrijke dingen, zoals de keer toen zijn moeder belde en hem vroeg om tegen zijn vader te zeggen dat hij haar moest ophalen na haar overwerk op haar school. Thomas had de telefoon neergelegd en liep naar de keuken, met de boodschap nog duidelijk in zijn hoofd. Maar op het moment dat hij de keuken binnen stapte, was het verdwenen. Zomaar. Hij hielp zijn vader met het koken van het avondeten en ze waren al halverwege toen zijn moeder twintig minuten later weer belde dat ze nog steeds stond te wachten, en zowel zij als zijn vader vond het niet grappig. Zijn vader niet, omdat hij het eten net wilde opzetten en zijn moeder niet, omdat ze in de regen had staan wachten.

Wat niemand leek te begrijpen, zelfs Thomas niet, was dat hij zich dingen ook niet kon herinneren als die weer ter sprake kwamen. Hij kon alleen maar zijn moeder op haar woord geloven toen ze zei dat ze hem had gevraagd om pap te vragen of hij haar kwam ophalen. Thomas kon zich wel herinneren dat hij haar aan de telefoon had gehad, maar niet precies wat ze gezegd had.

Dat soort dingen gebeurden Thomas de hele tijd, dus hij wist dat hij het zelf niet goed deed. Op school of met zijn vrienden of thuis: zijn hersenen sprongen regelmatig uit de versnelling en soms kwamen ze zelfs heftig schuddend helemaal tot stilstand. Dan werd iedereen doodmoe van hem. Hoewel het eigenlijk niet helemaal waar was dat iedereén zijn geduld verloor, bedacht Thomas. Zijn opa en zijn juf, Marjan, begrepen het beter. Juf Marjan zei altijd dat ze zeker wist dat Thomas andere talenten had. En Thomas' opa zei altijd dat het beste wat je in het leven kon doen, was om door te gaan met waar je goed in was en dat je manieren moest bedenken om om te gaan met de dingen waar je slecht in was.

Thomas zocht in zijn zak naar de grote, koperen gordijnring die opa aan hem had gegeven. Het was opa's idee dat Thomas de ring zou gebruiken als hij iets moest onthouden. Thomas wikkelde het papiertje met de tijd van de afspraak om de gordijnring. Hij wist zeker dat hij niet zou vergeten om er vanavond en morgen naar te kijken. Nou ja... hij wist het bijna zeker.

De bibliothecaresse keek Thomas onderzoekend aan. „Aangezien dit al het zoveelste verzoek is om informatie over vulkanen, neem ik aan dat er binnenkort een werkstuk moet worden ingeleverd op school. Heb ik dat goed?"

„Dinsdag," knikte Thomas. „We moeten allemaal een uitgebreid werkstuk over vulkanen inleveren."

„Dan heb je geen tijd meer te verliezen." De bibliothecaresse keek rond in de bibliotheek. „Er zitten een jongen en een meisje met een paar nuttige boeken aan de tafel bij het raam. Je mag vast wel met hen meekijken."

Thomas keek wie de bibliothecaresse aanwees. Hij hield zijn adem in. Eddie en Lisa! De Pestkoppen! Zij waren de twee gemeenste kinderen van de hele school en het leek vaak wel of ze speciaal hem moesten hebben om te pesten. Dat waren de laatste mensen die hij wilde zien.

„Ik wacht nog wel even tot later..." begon Thomas.

„Later is het te laat," onderbrak de bibliothecaresse hem. „Je kunt het niet langer uitstellen, Thomas." Ze was om de balie heen naar Thomas toe gelopen en duwde hem nu in de richting van de tafel in de hoek. „Laat

Thomas eens meedoen met jullie boeken," zei ze tegen Eddie en Lisa. „Hij onderzoekt hetzelfde onderwerp." Ze glimlachte naar alle drie. „Als jullie hetzelfde project moeten doen, dan kennen jullie elkaar waarschijnlijk wel."

Eddie gaf Lisa een por. „Dat is Thomas," zei hij op een mierzoet toontje.

Lisa keek op naar de bibliothecaresse, met een van haar speciale, vriendelijke lachjes, die ze bewaarde voor volwassenen met macht. „Natuurlijk kunnen we samendoen. Geen probleem." Ze schoof snel op naar de volgende stoel, waardoor er ruimte ontstond tussen haar en Eddie.

„Kijk," zei Eddie. „Hier is een plekje voor Thomas."

De bibliothecaresse trok de stoel naar achteren en voordat hij het zelf in de gaten had, stommelde Thomas naar voren en plofte hij neer, gevangen tussen zijn treiteraars.

„Goed om je weer te zien," zei Lisa zangerig. „Kom met ons meedoen, Thomas." Ze wachtte tot de bibliothecaresse terug was naar haar balie. „Thomas de pomas," zei ze.

Eddie leunde opzij, zodat hij Thomas' elleboog en arm verpletterde. „Waarom doe je zoveel moeite om werkstukken te maken?" pestte hij. „Jouw handschrift is zo beroerd dat niemand het kan lezen."

„Dat is waar," viel Lisa hem bij. „Als we in de klas dingen voor tentoonstellingen moeten maken, geeft juf Marjan jou altijd tekenopdrachten, omdat je zo kriebelig schrijft."

Thomas voelde dat hij een paniekaanval kreeg. Hij begon wanhopig met een van de stressbestrijders die opa bedacht had: heel langzaam tot tien tellen en aan de vorm van de cijfers denken. Maar het hielp niet. Hij kwam niet verder dan tot drie. Die vorm kwam maar niet te voorschijn in zijn hoofd. Het was belachelijk! Hij was hier veel te oud voor. Hij móést toch tot drie kunnen tellen! Thomas begon opnieuw: 1 was een toverstafje; 2 een elegante zwaan op een rustig, vlak meer; drie... waar was de drie? Hij wist dat hij de drie altijd zag als een kribbig-uitziend cijfertje, on-af en gapend met een open mond die brutale dingen leek te zeggen... een beetje zoals Lisa...

„Kijk." Lisa prikte met haar vinger in Thomas' gezicht. „Kijk Eddie, Thomas is zeker weer aan het dagdromen."

„Whaaa?" zei Thomas en hij kwam weer terug in de werkelijkheid. Hij keek naar Lisa's gezicht. Haar mond leek echt op het cijfer 3. Aha! Nu zag hij de vorm duidelijk in zijn hoofd. Een 3, met zijn brede mond en de kin die onderaan uitstak. Het werkte! Opa's stressbestrijder had gewerkt! Thomas was gestopt met naar de Pestkoppen te luisteren en hij was nu een stuk rustiger.

„Ik ga een van deze boeken bekijken," zei hij zacht. „Ik neem ze een voor een mee naar de andere tafel en ik breng ze terug als ik klaar ben." Hij stond op van zijn stoel.

Eddie haakte zijn voet achter Thomas' stoelpoot en trok hem naar voren. Thomas viel weer achterover.

„Doe niet zo flauw," zei Thomas. „Laat me gaan of ik roep de bibliothecaresse."

„Klikspaan," schold Eddie.

„Ja," zei Lisa.

„Niet," zei Thomas. Hij dacht aan de 'Wel' en 'Niet' anti-pestposter, die het hoofd van de school in de gangen had opgehangen. „'Het rapporteren van pesten is NIET hetzelfde als klikken. Het rapporteren van pesten is WEL verantwoordelijk gedrag.' Dus..." hij keek van Lisa naar Eddie, „laat me gaan of ik ga schreeuwen."

Eddie kwam zo dichtbij, dat zijn adem warm voelde in Thomas' gezicht. „Je gaat niet schreeuwen en je gaat ook niet klikken, want dat maakt het alleen maar erger, of niet soms?" Hij schopte tegen Thomas' stoel. „Of niet soms?"

„De bibliothecaresse kan je horen," zei Thomas.

Lisa keek snel naar de balie. De bibliothecaresse werkte op een van de computers, maar ze was nog steeds binnen gehoorafstand. „Oké, je mag meekijken," besloot Lisa. „Maar ik gebruik toevallig al deze boeken zelf." Ze pakte vier van de naslagwerken.

„En ik gebruik deze twee." Eddie legde zijn hand op de rest.

„O, kijk," zei Lisa op zoete toon. „Hier is nog een piep-klein boekje." Ze pakte een heel oud, klein boekje op en schoof het over de tafel naar Thomas. „Dat is wel onge-veer jouw niveau."

Thomas keek naar de voorkant van het boek. Er stond een plaatje op van de oude Romeinse tijd, met op de ach-tergrond een uitbarstende vulkaan. Maar het was niet de vulkaanuitbarsting die Thomas opviel. Het waren de details op de voorgrond waardoor hij beter ging kijken. Er was iets vaag bekends aan de drukke markt. Winkel-etalages en kraampjes waren volgestapeld met allerlei artikelen: fruit en wijn in grote potten, amfora's[*], vis op stukken marmer, stoofpotten en borden van Romeins

---

[*]amfora: vaas of kruik met twee oren, zoals bij de oude Grieken en Romeinen in gebruik was

rood aardewerk uit Gallië. Vooraan stond een kraam met stoffen, met stapels zijde en leer, balen katoen en geborduurde kussens. En daar was de koopman zelf. Een oudere man, niet gladgeschoren zoals gebruikelijk was bij de Romeinen, maar met een puntig baardje.

Thomas hapte naar adem en keek nog eens.

Het was de koopman uit zijn droom. Degene die zo hard geprobeerd had om het stuk stof aan Rhea Silvia te verkopen!

## 5

„Darius!" riep Thomas.

„Wat?" zeiden Lisa en Eddie tegelijk.

„Die Romeinse koopman…" Thomas wees opgewonden op de voorkant van het boekje. „Hij heet Darius."

„Hoe kun jij dat nou weten?" vroeg Eddie. „Je hebt amper naar dat boek gekeken. Je kunt niet weten hoe die man op de voorkant heet."

„Dat weet ik wel," ging Thomas zonder na te denken verder. „Ik heb hem ontmoet – nou ja, niet echt ontmoet, maar ik heb hem horen praten."

„Waar?" wilde Lisa weten. „Waar kun je nou ooit die… die…" ze trok het boek naar zich toe, „deze… verkoper hebben horen praten?"

„Het gebeurde toen ik droomde," vertelde Thomas. „Ik reisde naar…"

„Hou toch op," onderbrak Eddie hem. „Wat kunnen mij

jouw idiote dromen nou schelen?"

„Maar we zouden juist wel moeten luisteren," zei Lisa sarcastisch. „Dit is immers die fantastische fantasie van Thomas, waar juffrouw Marjan altijd maar over doorzeurt. Iedereen zegt dat Thomas zo goed is in het verzinnen van verhalen." Lisa stak haar tong uit. „Jij bent Super-Thomas, toch?"

Thomas werd rood.

„Nee, dat is hij niet," zei Eddie. „Hij moet dit boek eerder gezien hebben. Ik durf te wedden dat het ergens binnenin staat, hoe die koopman heet."

„Natuurlijk." Lisa wendde zich tot Thomas. „Jij bent eerder in de bibliotheek geweest en je hebt al aan het werkstuk gezeten, of niet soms?"

„Nee, dat is niet zo. Alleen… als ik droom, dan kan ik kiezen…" Thomas aarzelde en zweeg toen. Hij wilde Eddie en Lisa dolgraag vertellen hoe zijn dromen soms over de kop gingen. En dat het in plaats van alleen in zijn hoofd, zoals bij de meeste mensen, soms andersom ging en dat hij in de droom belandde. Als hij nou kon opscheppen over hoe hij zijn Droommeester had ontmoet en over dat hij een beetje wist hoe hij met de droomcape om moest gaan, waardoor hij soms zijn eigen dromen bij elkaar kon dromen, zoals hij dat wilde, ook al verliep dit niet altijd als gepland…

Thomas keek naar Eddie en Lisa. Ze zouden hem nooit geloven en trouwens, hij wist niet zeker of hij zo'n geweldig geheim wel met de Pestkoppen wilde delen. Hij had het zijn vrienden Vicky, Inez en Ellen niet eens verteld.

Eddie leunde over de tafel en trok het boek uit Lisa's

hand. „Laten we er even in kijken. Waarschijnlijk staat de naam van die koopman op de eerste bladzijde."

Lisa haalde uit naar het boek. „Ik had hem het eerst."

„Nou, ik heb het nu," zei Eddie, die het boek weer terugtrok.

Er klonk een scheurend geluid toen de voorkant losliet.

Eddie gooide het boek voor Thomas neer. „Hij deed het," zei hij meteen. „Toch, Lisa?"

Thomas voelde dat hij het heet en koud tegelijkertijd kreeg.

De bibliothecaresse was verschenen en ze keek ijzig naar hen. „Jullie hebben geluk dat dit geen duur boek is en dat het gerepareerd kan worden, maar ik ben evengoed niet blij met jullie gedrag."

„Wij hebben het niet gedaan," zei Lisa. „Alles ging goed tot Thomas erbij kwam. Het is zíjn schuld."

De bibliothecaresse schudde haar hoofd. „Dat denk ik niet, jongedame. Ik ken Thomas, hij komt hier redelijk vaak en gedraagt zich altijd netjes. Terwijl jullie twee hier bijna de hele tijd hebben zitten niksen. Ik wil graag dat jullie alle drie aan aparte tafels gaan zitten." Ze keek nog even naar het boek in haar hand.

Eddie en Lisa stonden op toen de bibliothecaresse wegliep om het boek te repareren.

„Ik ging toch net naar huis," zei Eddie. „Ga je mee, Lisa?"

Lisa knikte en begon boos haar spullen bij elkaar te rapen. Ze keek naar Thomas en siste: „Niemand brengt mij zonder gevolgen in de problemen."

„Denk jij nooit dat je jezelf in de problemen brengt?"

antwoordde Thomas dapper.

„De volgende keer dat ik jou zie, zal ík niet degene zijn die op z'n kop krijgt," zei Lisa grimmig, voor ze met Eddie naar de uitgang liep.

Bij de deur bleef Eddie staan en hij trok aan Lisa's mouw. „Kijk," fluisterde hij. Hij wees naar het computer-afsprakenboek dat open op de balie lag. „Thomas heeft morgen een afspraak voor het internet."

Lisa bestudeerde de bladzijde. „Hoe laat komt hij mor-gen naar de bieb?" Haar vinger stopte bij de aantekening op de pagina. „Oké." Haar ogen glommen en ze trok een zuur glimlachje. „Ik denk dat we wel kunnen regelen dat meneer Thomas Sierhuis een heel vervelende verrassing te wachten staat."

Thomas wachtte tot de bibliothecaresse het gerepareer-de boekje terug kwam brengen. Hij bekeek de voorkant nog eens goed. Thomas zag meer van de straat dan hij in zijn droom had kunnen zien.

In zijn droom was hij bijna ín de winkel geweest, maar dit plaatje liet de straat zelf en de kraampjes en winkels zien. Naast de stoffenverkoper stond de kraam van een schoenmaker, met de schoenmaker die op zijn stoel aan het nieuwste paar zat te werken. Hij was omgeven door mallen van voeten en stukjes leer die in de vorm geknipt waren om zolen en hielen te bedekken. Achter hem waren nissen met planken waarop sandalen en schoenen ston-den.

Verderop was een parfumstalletje met marmeren en albasten potjes, gevuld met crèmes en oliën. Rijen flesjes in allerlei kleuren met daarin parfumolie glinsterden in de houten rekjes. Een vrouw met zorgvuldig gevlochten en vastgespeld haar probeerde een van de parfums. Ze hield het dopje, in de vorm van een pauwenstaart, in haar hand en rook aan de inhoud van het flesje.

Daarnaast stond een viskraam met de grootste hoeveelheid verschillende vissen die Thomas ooit had gezien.

Thomas volgde de vormen en de kleuren met zijn vingers. De tekst op de achterzijde van het boek vertelde hem dat dit een rijk stadje was geweest, met goederen die vanuit het hele Romeinse Rijk en nog verder kwamen. Zijde en kruiden uit China, parfum en ivoor uit India, graan uit Egypte, en vis werd binnengebracht door vele boten die in de zee vlak bij het stadje visten.

Bij de stalletjes in de hoofdstraat, die in dit boek de Via dell'Abbondanza genoemd werd, was het altijd druk. Was dit allemaal buiten aan de gang geweest, terwijl hij binnen met Linus over het maken van mozaïeken zat te praten?

„Wat ik niet snap," begon Thomas, „is waarom we een plaatje van het oude Rome zien als dit boek over vulkanen gaat."

„Dat is Rome niet," legde de bibliothecaresse uit. „Het is de marktplaats van een stadje waar een beroemde vulkaanuitbarsting is geweest. Bijna zonder waarschuwing begon een berg in de buurt, de Vesuvius, dagenlang kokende as en modder te spuwen. De hele stad werd bedolven en de bevolking is gestorven."

„Wanneer was dat?" vroeg Thomas. „Waar was die stad?"

„Het gebeurde in 79 na Christus," vertelde de bibliothecaresse. „Vlak bij Napels. Het stadje heette Pompeji."

„Pompeji," herhaalde Thomas.

„Ja." De bibliothecaresse keek weer naar het boek. „Je mag het wel lenen als je wilt."

Thomas deed het boek voorzichtig open. Er stond nog een afbeelding aan de binnenzijde van het omslag. Het was een afbeelding van de binnenkant van een winkel; de winkel van de stoffenverkoper. Thomas' ogen werden wazig toen hij het interieur bekeek. Er zat een vrouw op een lange bank. Recht voor haar stond een meisje dat een stuk stof voor zich omhooghield. Het hoofd van de oudere vrouw was opzij gebogen en ze bekeek haar dochter kritisch. Een slaaf hield een spiegel vast, zodat het meisje zichzelf kon zien. Het materiaal lag in lange plooien op de grond, een diep Tyrisch purperen stof, prachtig roodachtig paars.

Thomas' hand trilde toen hij het boek plat voor zich neerlegde op de bibliotheektafel. De twee gescheurde helften zaten niet precies goed vast. En daarom leek het of de jongen die aan de ene kant zat, zijn hoofd had weggedraaid van wat er gebeurde – hij staarde naar iets buiten de winkel, verder dan de straten en de tijd van het oude Pompeji naar…

Thomas' hart sloeg over. De jongen bewoog. Zijn mond was een beetje open, alsof hij iets zei.

„Help!" leek hij naar Thomas te roepen. „Help ons!"

Thomas liep van de bibliotheek naar huis, met het boek over Pompeji in zijn rugzak. Zijn gedachten probeerden bij te houden wat er de laatste uren allemaal met hem gebeurd was. Hij had besloten om met het vulkanenproject aan de slag te gaan. Zijn Droommeester was verschenen... dat was het! Zijn Droommeester had zitten zeuren dat zijn droomcape zo dun werd, omdat Thomas zulke levendige dromen had, en toen, en toen... Thomas' gedachten en zijn benen gingen sneller toen de gebeurtenissen van die morgen weer bij hem bovenkwamen. Hij had zijn eigen stukje droommantel onder uit zijn ladekastje gehaald en om de een of andere vage reden was het groter en sterker geworden! Daarna waren de Droommeester en hij zomaar van vulkaan naar vulkaan geslingerd, totdat ze uiteindelijk in een wijngaard vlak bij een stadje waren, waarvan Thomas nu wist dat het Pompeji was. Hij had pas net in die droom gezeten, toen zijn moeder hem wakker had gemaakt en mee had gesleept naar de winkels, met Laura, waarna Thomas in een winkel in Pompeji was beland... en nu was hij hier weer.

Thomas bleef midden op straat staan. Zijn hart en zijn hoofd krompen samen. Waar wás de Droommeester eigenlijk? Hij was niet bij Thomas geweest in de winkel in Pompeji... en... hij was niet met hem teruggegaan naar de eenentwintigste eeuw, dat was zeker. Dus waar was hij? En – een koude angst bekroop Thomas – waar de Droommeester ook was, hij zat er vast. Want het was niet zijn droomcape geweest die hen door de Tijdruimte had gebracht, maar het kleine stukje droomzijde. En Thomas had dat stukje nog steeds in zijn zak.

Zijn Droommeester was nu dus gescheiden van zijn droommantel! De droommantel die Thomas op bed had laten liggen, waar iedereen hem kon vinden! En Laura en zijn moeder waren al eeuwen geleden naar huis gegaan!

Thomas begon te rennen.

Hij stormde de keuken binnen. Zijn moeder zat in een beker thee te staren. Ze had haar ik-ben-met-Laura-wezen-winkelen-gezicht op en ze glimlachte kort naar Thomas, toen hij langs haar rende.

„Heb je in de bibliotheek gevonden wat je nodig had?" riep ze hem achterna. Hij rende met twee treden tegelijk de trap op.

„Ga er morgen weer heen," antwoordde Thomas kortaf. Hij zwaaide zijn kamerdeur open en voelde een golf van opluchting. De droommantel was een bergje wazig rood op zijn bed.

De kamer was klam, vanwege de hitte van de middag. Thomas gooide zijn rugzak op het bed en haalde er het bibliotheekboek over Pompeji uit. Op dat moment ging zijn deur open en kwam Laura binnen.

„Kloppen voor je binnenkomt," zei Thomas.

„Doe niet zo onaardig. Ik kwam je alleen maar helpen, ukkie."

„Helpen?" herhaalde Thomas wantrouwend.

„Ja, helpen. Ik geloof dat je iets van me te goed hebt, omdat je een wankel-actie deed bij het winkelen, zodat mam de klerenjacht snel wilde afhandelen."

„O… oké." Thomas besloot Laura niet te vertellen dat, volgens hem, hun moeder vooral met het winkelen gestopt was omdat ze Laura's vreselijke gedrag zat was. „Ik heb helemaal geen hulp nodig." Hij stapte naar voren om de doorgang te blokkeren.

Laura stapte langs Thomas en liep verder de kamer in. „Ik dacht dat je met een of ander project bezig was?"

Thomas voelde dat hij de controle over de situatie kwijtraakte. Een Laura die aardig was, was nog net iets erger dan een pestende Laura. Een behulpzame Laura was onvoorspelbaar.

„Nee, alles onder controle." En Thomas lachte breed om te laten zien hoe prima alles was.

„Nou, dan weet ik nu zeker dat dat niet waar is," zei Laura. „Anders stond je niet als een blije Flipper te grijnzen. Je moet je werkstuk inleveren. Onze computer wordt gerepareerd en je handschrift is niet zo netjes, dus ik kan je wel ergens mee helpen, als je wilt."

„Nee. Bedankt. Maar nee, bedankt. Echt. Bedankt. Maar nee." Thomas had wel door dat hij onzin uitkraamde.

Een hevige paniek kwam in hem op, toen Laura door zijn kamer liep en overal aan zat. Ze kreeg het boekje over Pompeji in de gaten, dat nog op zijn bed lag.

„Als je Pompeji doet," begon ze, „dan heb ik nog wel wat spullen in een map waar je wat aan zou kunnen hebben. Ik heb er ook eens een werkstuk over gemaakt."

„Neuh," bromde Thomas. „'t Is oké."

Voordat Thomas haar kon tegenhouden, plofte Laura op zijn bed neer. „Het is zo warm," klaagde ze. Ze ging languit liggen.

Thomas keek haar verschrikt aan. Ze lag vlak naast de droommantel! Zijn vingers zochten naar zijn eigen stukje droomzijde in zijn zak. Hij moest zijn werkstuk maken en hij zat nog met een vermiste Droommeester. Het laatste wat hij kon gebruiken, was een zus die op de een of andere manier in zijn Pompeji-droom verstrikt raakte en daarmee alles verstoorde.

Ik kan haar van het bed op de grond duwen, dacht Thomas. Hij strekte zijn hand uit en raakte zijn zus haar arm aan. Op het moment dat hij dat deed, wist hij al dat hij een fout had gemaakt. „O nee, hè!!!"

De gedachte aan Pompeji zat in zijn hoofd en hij kon die niet snel genoeg wegkrijgen. De droomzijde brandde tegen zijn hand. Er ontstond een oogverblindende vonk, tegelijkertijd klonk er een ontzettende herrie en Laura en hij schoten door de tijd.

## 6

Thomas herstelde zich als eerste. Het hielp wel dat hij ongeveer wist waar ze terecht zouden komen. Hij graaide het Pompeji-boek uit Laura's hand en stopte het met het stukje droomzijde in zijn zak. Toen keek hij om zich heen. Ze waren buiten, op een straatje van hobbelige keitjes, maar het was niet de Via dell'Abbondanza met de drukke winkels, waar hij eerder was geweest. Dit was een rustige woonwijk, een laan met bomen erlangs.

Gelukkig heeft niemand ons gezien, dacht Thomas. Als ik me snel concentreer, kan ik ons terug in de slaapkamer krijgen voordat Laura doorheeft wat er gebeurd is.

„Wat is er aan de hand?" Laura kwam langzaam overeind. „Was dat een explosie? Waar zijn we?"

„In dromenland," zei Thomas streng. „Je bent diep in slaap." Hij bewoog zijn hand voor Laura's gezicht heen en weer, zoals hij het een hypnotiseur had zien doen op televisie. „Sluit je ogen. Ga slapen."

„Hou eens op." Laura duwde Thomas weg en stond op. „Als ik droom, ben ik dus aan het slapen en dan kan ik niet weer in slaap vallen, idioot." Ze keek om zich heen in de hete, lege straat. „Als dit een droom is, dan is hij behoorlijk saai en het is hier nog warmer dan in de echte wereld, dus ik denk dat ik maar gewoon wakker word, bedankt."

„Prima," knikte Thomas. „Perfect. Geweldig." Hij pakte zijn droomzijde. „Wacht twee tellen," mompelde hij, „ik moet even mijn gedachten bij elkaar rapen en me concentreren om ons terug te brengen."

„Wie is dat?" vroeg een stem achter Thomas.

Thomas draaide zich om en zag Rhea Silvia in de deuropening van een huis vlakbij staan. „Mijn zus," stamelde hij.

„Ah, je zus," zei Rhea Silvia zacht. „Dus daar ben je geweest. Wat lief. Ik zal aan mijn moeder uitleggen dat je bent weggelopen om je zuster te vinden. Het is erg attent van je om dat te doen."

„Attent!" herhaalde Laura. „Dat is voor het eerst dat ik iemand Thomas 'attent' heb horen noemen."

„Nou, ja, dat vind ik wel," zei Rhea Silvia. „Ik zou willen dat mijn broer Linus zo op mij zou passen als wij gevangen waren genomen door de vijand. Ik zal vragen of ik ook een persoonlijke slavin kan krijgen. Want eigenlijk, als Linus een slaaf heeft, zou ik niet weten waarom ik niet een slavin krijg. Kom." Ze wenkte. „Laten we bij de fontein gaan zitten. Je kunt me helpen met mijn nieuwe aankoop."

„Een slavin!" gilde Laura, toen ze Rhea Silvia volgden naar de binnenplaats van het huis. „Ben ik een slavin?"

Thomas deed zijn ogen dicht. Nu zou er écht een explosie volgen. Hij kon zich niet voorstellen dat Laura zonder morren zou accepteren dat ze een slavin was.

„Ja," zei Rhea Silvia. „Je broer en jij zijn huisslaven, totdat jullie je vrijheid kunnen verdienen."

„Wat een interessante dromen heb jij, Thomas," fluisterde Laura. „Dat wist ik helemaal niet."

Thomas' mond viel open. „Vind je het niet erg om een Romeinse slavin te zijn?"

„Ik denk dat het best leuk kan zijn," antwoordde Laura. „Zolang ik niet in de keuken hoef te staan. Ik weet niets van koken."

„Hè?"

Laura sloeg met de palm van haar hand tegen haar voorhoofd. „Dûh. Geintje, Thomas."

Ze keek om zich heen. „Dit lijkt me een rijkeluishuis. Wat zijn mijn taken?" vroeg ze aan Rhea Silvia.

„Als mijn vader je koopt, dan mag je mijn haar doen en me helpen met mijn make-up."

„Ah, cool!" vond Laura. „Dat is echt wat voor mij." Ze stapte naar voren en bekeek Rhea Silvia van dichtbij. „Je oogmake-up is fantastisch. Hoe krijg je dat lijntje over je hele ooglid zonder dat het uitloopt in deze hitte?"

„Kohl," antwoordde Rhea Silvia, „uit Egypte. Ik vermeng het met een beetje vet en dan gebruik ik een fijn penseeltje. Maar het penseel moet van echt kamelenhaar zijn."

Zij bekeek op haar beurt Laura's kleren. „Jouw kleding

is... ongewoon. Mag ik die eens proberen?" Rhea wees naar de brede riem.

„Ja hoor." Laura gaf haar de riem aan en deed hem bij haar om.

Rhea Silvia leunde voorover en bekeek haar spiegelbeeld in het water van de fontein. „Ik heb nog nooit zo'n aparte riem gezien."

„Nou, maar ik vind jouw kleren ook schitterend. Dat is de geweldigste kleur die ik ooit gezien heb." Ze raakte de stof van Rhea Silvia's nieuwe rok aan.

Rhea Silvia leek tevreden. „Het materiaal komt uit een stad in Libanon, genaamd Tyrus. Het is de enige plek waar je zo'n tint kunt krijgen. Zij hebben het geheim van de paarse verf. Laten we naar binnen gaan en kijken hoe hij bij jou staat."

„Ik dacht dat jij van korte rokken hield," merkte Thomas op.

„Als je in Rome bent..." zei Laura.

„Wat zeg je?"

„Het is een uitdrukking," legde Laura uit. En toen Thomas nog steeds verward keek, voegde ze eraan toe: „Dat zeggen mensen wel eens: 'Als je in Rome bent, moet je net zoals de Romeinen doen'. Het betekent dat je je aanpast aan de stijl en de gewoonten van de mensen bij wie je op dat moment bent." Laura haastte zich achter Rhea aan.

Thomas had zin om op te merken dat ze niet precies in Rome waren. Dat ze eigenlijk in Pompeji waren. Maar dat kon hij beter niet doen, bedacht hij, achter de twee meiden aan slenterend – misschien zou zijn zus in paniek raken en hij had het idee dat hij in z'n eentje al genoeg in paniek kon raken voor hen allebei. Bovendien was hij niet van plan om hier nog veel langer te blijven. Hij zou moeten zorgen dat zijn zus niet al te dikke vriendinnen werd met Rhea Silvia en dat hij een momentje alleen met zijn zus had. Dan zou hij hopelijk de droomzijde kunnen gebruiken en Laura snel naar zijn slaapkamer terug kunnen krijgen, zodat ze nog zou geloven dat het een droom was geweest.

Thomas sprak Rhea Silvia beleefd aan. „Mijn zus kan niet jouw slavin worden. Ze hoort bij een huis ver buiten de stad en ze mocht maar een paar uur weg, om een boodschap af te leveren."

„Niet waar!" protesteerde Laura tussen haar tanden door. „Ik wil hier blijven."

„Het is mijn droom," zei Thomas zachtjes. „Wat ik zeg, gebeurt."

Laura trok een boos gezicht naar haar broer en wendde zich tot Rhea Silvia. „Ik wil jouw slavin worden."

„Wanneer mijn vader uit Rome terugkeert, zal ik vragen of hij je van je huidige eigenaar kan overnemen," zei Rhea Silvia. „Kun je me intussen eens vertellen hoe je je haar op die manier invlecht?"

„Tuurlijk," knikte Laura. „Wil je dat ik jouw haar ook zo doe?"

„Thomas!"

Thomas draaide zich om en zag dat Rhea Silvia's broer Linus bij de fontein was aangekomen. Als slaaf kon Thomas Linus niet zomaar negeren. Hij rende snel terug naar de binnenplaats.

„Je moet mijn nieuwe tekening bekijken." De jongen

duwde de schets onder Thomas' neus. „Ik heb je advies opgevolgd en meer actie getekend. Het is een van de gladiatoren."

„Geweldig," zei Thomas, bijna zonder naar Linus zijn perkament te kijken.

„Hij is een nieuwe vechter," vertelde Linus. „Hij heeft veel problemen veroorzaakt. Hij beweert dat hij een grote heer is, maar hij heeft geen stamboom of familie die het voor hem opneemt. Ze hebben hem gevangen toen hij aan het stelen was in een huis op de berghelling buiten Herculaneum. Wat denk jij, heb ik zijn postuur goed vastgelegd?"

„Hij is prima," zei Thomas, in gedachten nog steeds bij Laura. Hoe lang konden die twee over make-up blijven praten? Heel lang, als hij bedacht hoe Laura thuis uren met haar vriendinnen Bar en Radslag in de badkamer kon zitten. Thomas keek even opzij naar de tekening van Linus. „Het is erg…" Hij stopte met praten en keek nog eens. „O! O nee, hè!" Thomas wees met een bibberende vinger naar de gladiator in zijn volledige gevechtsuitrusting.

De tekening liet een klein, boos mannetje zien, met een rok en een gedeeltelijk harnas aan, met leren scheenbeschermers en een kort zwaard in zijn hand. Vanonder de helm staarde het gezicht van de Droommeester hem aan.

„W…waar heb je deze man gezien?" stotterde Thomas.

„In de barakken achter de tempel van Isis," antwoordde Linus. „Hij is een nieuwe gladiator. Ze noemen hem Dominus Somniorum. Hij moet vechten op de feestdag, over twee dagen."

„Vechten? Over twee dagen?" Thomas' stem klonk als een verwrongen piepje.

„Ja," knikte Linus. „In het amfitheater. Hij vecht tot de dood erop volgt."

„Tot de dood erop volgt?!"

„Dat weet je toch wel." Linus keek in het geschrokken gezicht van Thomas. „Zelfs ver weg in jullie land moeten jullie wel gehoord hebben van de grote gladiatorengevechten in het machtige Romeinse Rijk."

„Ja... maar..." stamelde Thomas. „Ik denk dat ik deze man ken. Kan ik hem op de een of andere manier spreken?"

„Ik kan je wel meenemen naar de barakken van de gladiatoren," knikte Linus. „Mijn vrienden en ik weten een manier om binnen te komen, zodat we de gladiatoren kunnen zien oefenen op de binnenplaats. Als we nu gaan, kunnen we de nieuwe vechter misschien zien."

Thomas aarzelde. Kon hij Laura veilig hier laten, terwijl hij met Linus een bezoek bracht aan de Droommeester? Hij keek naar zijn stukje droomzijde. Het verbleekte. „Een droom heeft zijn eigen tijd," had de Droommeester hem verteld. Als hij nog langer wachtte, konden Laura en hij voor altijd vast komen te zitten in de oude tijd. De Droommeester had gelijk. Er was inderdaad heel wat voor nodig om Droommeester te zijn. Thomas voelde zich daar totaal niet geschikt meer voor.

„Je wilt hem zien, toch?" Linus had de uitdrukking op Thomas' gezicht opgemerkt.

Thomas knikte. „Ja, maar ik weet niet of ik genoeg tijd heb. Ik moet... ik moet... mijn zus thuisbrengen... eh...

naar het huis... huishouden waar ze hoort."

Linus legde zijn hand op Thomas' arm. „Het is augustus en erg warm. Iedereen slaapt een uurtje na het middageten. Mijn moeder is naar mijn vaders mozaïekwerkplaats in Rome. Mijn zus en die van jou zullen praten en dan eten en rusten. We hebben genoeg tijd als we snel rennen. Je kunt de nieuwe gladiator zien en dan zijn we terug voor ze wakker worden. Ik wijs je de weg."

Thomas besloot het risico te nemen. Hij móést de Droommeester zien en hem laten weten waar hij was. En... hij had advies nodig.

# 7

Zoals Linus voorspeld had, waren de straten waardoor de twee jongens renden, bijna verlaten. De paar mensen die ze tegenkwamen, letten niet op de jongen en zijn slaaf.

„Hierheen," gebaarde Linus. „Bij de kruising gaan we de straat in, richting Odeon. Bij het volgende blok, vlak bij de Tempel van Isis, is een opening. Die is nog niet gerepareerd sinds de aardbeving die alle gebouwen verwoestte in het jaar dat mijn zus geboren werd. Als we die doorgang nemen, komen we uit bij de barakken."

Thomas volgde Linus tussen de huizen, totdat ze bij een gebouw van twee verdiepingen kwamen, dat om een groot grasveld heen lag.

„Hier," fluisterde Linus. Hij trok Thomas achter een pilaar. „De instructeurs weten dat er jongens naar de schijngevechten komen kijken. Ze vinden het niet erg, als we maar niet te veel herrie maken."

Thomas keek rond. Er stonden houten palen in het gras en mannen waren bezig om met hun zwaarden op deze palen in te hakken en te slaan. Andere mannen waren met elkaar aan het worstelen of ze vochten met z'n tweeën of ze oefenden met speerwerpen.

„Ik zie hem niet," fluisterde Thomas.

„Als hij lastig is, kan het zijn dat hij in zijn cel moet blijven." Linus wees op het gebouw. „De instructeurs wonen op de bovenverdieping. De gladiatoren zitten in de kleine cellen beneden."

„Waarom rennen die gladiatoren niet weg, als ze buiten zijn?" Thomas maakte een hoofdbeweging naar de mannen op het gras.

„Het is een grote eer om gladiator te zijn," legde Linus uit. „Veel mannen melden zich vrijwillig aan om te vechten."

Thomas en Linus begonnen door de overdekte wandelgang te lopen. Het duurde niet erg lang voor ze de afgesloten cel vonden waarin de Droommeester zat. De kleine man sprong meteen overeind. Hij duwde zijn gezicht tegen de tralies.

„Waar is mijn mantel?" snauwde hij.

„Je kunt niet met een mantel om vechten als je een zwaard en een schild hebt," zei Linus.

„Ik heb mijn mantel nodig," siste de Droommeester tegen Thomas. „Je bent terug geweest naar je eigen tijd, ik zie het, dus waar is hij?"

„Ik heb hem niet bij me," zei Thomas. „Het is allemaal… ingewikkeld."

„Ja ja ja, ingewikkeld paarsgespikkeld," bromde de

Droommeester. „Dan gebruiken we jouw stukje droomzijde maar. Kom hier bij me staan en concentreer je, zodat ik kan ontsnappen."

„Ik kan het niet gebruiken om je terug te brengen naar je droommantel," zei Thomas ongelukkig. „Ik denk dat er alleen genoeg energie is om mij en nog één iemand terug te brengen door de Tijdruimte naar de eenentwintigste eeuw."

„En wat is dan het probleem?" gromde de Droommeester. „Welke één iemand behalve mij was je van plan mee terug te nemen?"

„Laura," antwoordde Thomas.

„Laura!" De Droommeester hapte naar adem. „Je zús Laura?"

Thomas knikte.

„Hoe in vulkaanvredesnaam is je zus in het oude Pompeji terechtgekomen?"

„Ik geloof dat het eigenlijk mijn schuld was," zei Thomas. „Je droommantel lag nog op mijn bed en zij zat er vlak naast. Ik was zo hard bezig om te zorgen dat ze niet aan de droommantel zat, dat ik vergat dat ik mijn stukje droomzijde vasthad en toen raakte ik haar arm aan. Ik probeerde om niet aan Pompeji te denken. Maar soms als je probeert om ergens niet aan te denken, dan is dat juist het enige waar je aan denkt. Het is gewoon, eh… gebeurd."

„Gewoon, eh… gebeurd," aapte de Droommeester Thomas gemeen na. „Hoe vaak heb ik jou nu al verteld, jij… jij… domme donut, dat als je de meester bent van een droom, dingen niet zomaar 'gebeuren'. Jij leidt de gebeurtenissen, en jij let op het verhaal. Jij… jij…" De Droommeester liet zich tegen de muur vallen. "Je moet echt de controle terugkrijgen."

Het was stil.

Linus keek naar de Droommeester. "Ik snap nu waarom ze zeggen dat je enorme driftbuien hebt. Je zult wel goed vechten."

"Ik ben niet van plan om met wie dan ook te vechten!" brulde de Droommeester. "Ik vecht tegen niemand. Als ze me de arena in slepen, dan blijf ik in het zand zitten. IK GA NIET VECHTEN!"

Linus sprong weg bij de celdeur. "We moeten nu gaan," zei hij tegen Thomas.

"Maar je begrijpt toch wel dat ik Laura moet thuisbrengen voor ik iets anders doe?" smeekte Thomas de Droommeester, terwijl hij zich omdraaide om Linus te volgen. "Ik laat je niet in de steek. Ik bedoel, bedenk eens wat er zou gebeuren als Laura doorkrijgt wat er aan de hand is. Ze zou de droommantel ook willen gebruiken."

De Droommeester haalde zijn schouders op. Uiteindelijk knikte hij. "Goed. Breng Laura maar terug naar haar eigen tijd."

"Als ik daarmee klaar ben, kom ik meteen weer naar jou toe," beloofde Thomas. Hij maakte aanstalten om weg te lopen.

De Droommeester rekte zich uit en greep Thomas' arm door de tralies heen stevig vast. "Luister, je zult zonder mij door de Tijdruimte reizen. Omdat ik mijn droommantel niet heb, kan ik je niet komen helpen als er iets fout gaat. Je bent erg onervaren, dus je moet voorzichtig zijn.

Let goed op. Let op wat je zegt, wat je doet, wat je denkt. Je staat er alleen voor, Thomas."

Thomas rende snel naar de hoek van de barakken, waar Linus stond te wachten. „Waar wordt dat gevecht precies gehouden?" wilde hij weten.

„In het amfitheater aan de andere kant van de stad. Er is daar meer ruimte, met plaatsen voor twintigduizend mensen en plekken voor de dieren."

„Dieren?" herhaalde Thomas. „Zoals honden en katten?"

Linus schudde zijn hoofd. „Woestere. Het zijn voornamelijk wilde dieren, uit Afrika en India. Er is zelfs een olifant die voorooploopt als de vechters in een stoet de arena in gaan."

„Doen die dieren kunstjes?" Een trage, koude angst bekroop Thomas.

Linus keek Thomas verward aan. „Kunstjes?"

„Wat doen ze?" vroeg Thomas. „Waarom zijn die dieren in het amfitheater?"

„Nou, voor de gladiatoren, om mee te vechten," antwoordde Linus. „Er is besloten dat de kleine man als een van de *bestiarii* moet vechten. Kijk." Hij wees op een aanplakbiljet dat op de muur van de barak hing. „Er staat op wat het programma is op de feestdag. Kijk, daar: het eerste gevecht is van jouw vriend Dominus Somniorum. Ze geloofden hem waarschijnlijk toen hij zei dat hij niet tegen iemand wilde vechten. Daarom heeft hij geen gevecht met een gladiator gekregen. Hij moet het opnemen tegen een leeuw."

Toen ze terug waren in de villa, ging Thomas liggen en

hij wachtte tot Linus in slaap was gevallen. Alles in huis was stil.

Voorzichtig liep Thomas door de gang naar Rhea Silvia's kamer, waar hij het gordijn opentrok. Laura lag op een kleine verhoging naast de entree. Haar ademhaling ging gelijkmatig en haar ogen waren gesloten.

Thomas knielde naast haar en pakte zachtjes haar hand vast. Met de vingers van zijn andere hand raakte hij het stukje droomzijde in zijn zak aan en voorzichtig, heel voorzichtig, denkend aan alle instructies van de Droommeester, bracht hij hen terug naar zijn slaapkamer in de eenentwintigste eeuw.

Daar kroop Thomas langs zijn slapende zus. Hij glipte zijn kamer uit, naar de overloop. Geluidloos opende hij de deur van de linnenkast en pakte een oud badlaken van onder op de stapel. Daarna liep hij op zijn tenen terug naar zijn kamer en spreidde de handdoek uit op de vloer naast zijn bed. Voorzichtig tilde hij de hoek van het dekbed op – de hoek die het verst van Laura af was – zodat de droomcape opzij gleed en op de handdoek viel. Was het waar wat de Droommeester gezegd had? Dat de cape uitgewerkt begon te raken door Thomas' avonturen? Hij zag er in ieder geval wel slap en levenloos uit.

Thomas had geen idee wat hij eraan kon doen. Had het ding zijn eigen, echte eigenaar nodig om opnieuw op te laden? En waarom had de Droommeester hem uitdrukkelijk verboden om het afgescheurde stuk weer vast te maken? Het zou toch wel samensmelten of zo, zoals elektriciteit in een batterij kon lopen en die kon opladen?

In zijn herinnering zag Thomas de uitdrukking op het

gezicht van het mannetje nog voor zich, zoals hij het afgescheurde stukje had bekeken toen hij ontdekte dat het veranderd was. De Droommeester had er bang uitgezien, bang en onzeker...

Thomas bestudeerde het overblijfsel van de droomcape dat nu van hem was. Het was veranderd en – Thomas kneep zijn ogen samen – sinds zijn avontuur met Laura was het weer anders geworden. Het was groter en meer... Thomas zocht een woord om het te beschrijven... meer... compleet. Dat was het! De randen waren minder rafelig. De energie die het bevatte, leek naar de buitenrand te stromen en dan weer terug naar het midden. Maar waar was het midden?

Hij voelde dat zijn huid begon te tintelen, een zachte jeuk ontstond net onder de oppervlakte van zijn lichaam. Het kwam van binnenuit, ergens in zijn gedachten, maar hij wist dat het werd geprikkeld door iets van buitenaf. De droomzijde! Hij merkte dat hij iets wilde doen, ergens naartoe wilde gaan, maar hij kon niet helemaal ontdekken wat het was.

Thomas duwde het stukje droomzijde in zijn zak en keek zijn kamer rond. Hij moest een plek vinden om de droomcape van de Droommeester te bewaren en dan zorgen dat hij Laura zijn kamer uit kreeg. Hij zou tot vannacht moeten wachten voor hij terug kon naar Pompeji, om de Droommeester te redden.

Door zijn raam zag Thomas de hete zon die al lager aan de hemel stond. De gladiatorengevechten waren al over twee dagen. Hij had niet zo erg veel tijd.

# 8

Thomas pakte de vier hoeken van de handdoek en knoopte ze aan elkaar. Waar kon hij de droomcape bewaren, zodat niemand hem zou vinden? Hij moest veilig zijn voor Laura's ontdekkingstochten en de schoonmaakacties van zijn ouders. Zijn geheime plaats onder in de ladekast was te klein.

Op zijn knieën zittend trok Thomas de dozen met winterkleren onder zijn bed vandaan. Hij tilde een van de deksels op en duwde de samengeknoopte handdoek op een paar dikke truien. Daarna schoof hij de dozen terug. De droomcape was nu tenminste even veilig tot hij een manier kon bedenken om hem terug te brengen naar zijn eigenaar.

Laura sliep nog steeds. Thomas wilde nu niet het risico lopen dat ze wakker werd. Hij zou naar beneden gaan en haar uit zichzelf wakker laten worden. Als ze iets zou zeggen over een droom over het oude Rome, dan zou hij gewoon lachen.

Het ging nog simpeler dan hij bedacht had. Zodra hij beneden was, vroeg zijn moeder of hij haar wilde helpen met het opruimen van de boodschappen, zodat zij vast met koken kon beginnen.

Tien minuten later verscheen Laura slaperig in de deuropening. Voor ze ook maar iets kon zeggen, begon zijn moeder al tegen haar. „Jij hebt zo te zien liggen slapen, terwijl Thomas en ik hier druk bezig zijn. Wij maken het eten klaar, dan kun jij papa straks helpen met afwassen."

Thomas ontweek Laura's blik.

Zijn zus gaapte en wankelde naar de koelkast om iets te drinken te pakken. „Ben ik op jouw bed in slaap gevallen toen we zaten te praten?" begon ze.

Thomas onderbrak haar meteen. „Ja, en doe dat nooit meer. Mam, wil je tegen Laura zeggen dat ze uit mijn kamer moet blijven?"

„Laura," zei Thomas' moeder op vermoeide toon. „Blijf alsjeblieft uit Thomas' kamer tenzij hij het goedvindt. Jij wilt toch ook niet dat hij in jouw kamer komt als je er niet bent?"

„Ik wilde hem alleen maar helpen met zijn vulkanenproject," bracht Laura ertegen in. Ze aarzelde. „Hij vertelde me over Pompeji…"

„Nee," zei Thomas snel. „Jij vertelde het aan mij en toen werd je steeds warriger en… en toen viel je in slaap."

Thomas' moeder glimlachte nadrukkelijk naar hen allebei, op haar 'positieve aanmoedigingsmanier'. „Het is fijn om te horen dat jullie elkaar helpen."

Laura gromde. „Yeah, right."

Thomas zag dat zijn zus nog steeds slaperig en warrig was.

„Heb je je nieuwe kleren opgehangen?" vroeg Thomas' moeder aan Laura.

„Ja ja," antwoordde Laura.

Thomas begon de tafel te dekken. Hij hield zijn zus goed in de gaten.

Laura fronste haar voorhoofd en nam nog een paar slokjes van haar drinken. „Ik leg die map met mijn werkstuk over Pompeji wel voor je deur," zei ze tegen Thomas. Ze liep naar de gang. Bij de keukendeur bleef ze staan en ze bracht haar hand naar haar nek. Ze draaide zich om en zachtjes, zodat haar moeder het niet zou horen, vroeg ze aan Thomas: „Heb jij mijn nieuwe riem ergens gezien?"

Later, in zijn kamer, haalde Thomas zijn notitieboekje te voorschijn en schreef op: *Laura's riem zoeken.*

Hij stapte in bed en propte zijn kussens achter zijn rug. Zijn eigen stukje droomzijde legde hij naast zich. Het lag stil en was bijna doorzichtig. Er zat geen energie in. Dat betekende dat hij een tijdje moest wachten voor hij kon proberen terug te gaan naar Pompeji om de Droommeester te redden. Intussen moest hij echt iets aan zijn schoolproject doen. Dat zou niet zo moeilijk zijn, nu hij Laura's werkstuk had.

Thomas begon weer wat vrolijker te worden. Vulkanen waren erg interessant en de uitbarsting bij Pompeji leek hem heel opwindend. En, bedacht hij toen hij de map opendeed die Laura hem had gegeven: hoe meer hij van

Pompeji wist, hoe makkelijker het zou zijn als hij terugging om de Droommeester te helpen. Thomas zag dat er een kaart in de map zat. Hij vouwde hem open. Het was een plattegrond van de oude stad Pompeji!

Thomas hield zijn adem in. Die zou erg handig zijn! Hij schoof de rest van de spullen naar het voeteneinde van zijn bed en begon de kaart te bestuderen. Er was een hoofdweg, de Via Stabiana, die van de ene kant van de stad naar de andere liep. Thomas volgde de lijn van de weg met zijn vinger. De Via dell'Abbondanza kruiste de weg, waardoor er een rechthoek vlak bij de barakken van de gladiatoren lag.

„Via dell'Abbondanza." Thomas las de straatnaam hardop. Daar had hij Rhea Silvia en Linus voor het eerst gezien. In een winkel aan de Via dell'Abbondanza. Waar leek die straatnaam toch op? „Bonanza!" Het leek een goede naam voor een straat vol winkels met spullen uit alle delen van de wereld. Thomas kroop over zijn bed en pakte zijn woordenboek van zijn boekenplank. Ze zouden de Romeinen de komende maanden bestuderen op school, en juf Marjan had gezegd dat veel woorden die ze nu in de moderne talen gebruikten, uit het Latijn kwamen.

Hij zocht 'Abbondanza' op om te zien of er een woord was dat daarop leek. Hij vond 'abondance', wat beschreven werd als een Frans woord voor 'overvloed'. Thomas voelde zich een beetje een detective toen hij de betekenis opzocht. Uiteindelijk vond hij 'overvloed' en alle betekenissen: 'grotere hoeveelheid dan nodig is', 'rijke voorraad of hoeveelheid'. Het was een goede naam voor een winkelstraat, beter dan ze naar plaatselijke bestuurders te noemen, zoals tegenwoordig gebeurde.

Thomas keek weer naar de stadsplattegrond en ging op zoek naar het huis van Linus en Rhea Silvia. Hij probeerde zich de straten te herinneren waar hij met Linus gelopen had, hoe ze langs de Tempel van Isis waren gekomen, naast het theater en het Odeon, voor ze weer in de hoofdstraat waren. Hij pakte zijn notitieblokje en begon een kaart te tekenen, met een cirkel om het gebied waarvan hij dacht dat hun villa moest staan. Daarna zocht hij het amfitheater. Het moest een gebouw zijn met een ronde vorm, zoals het Colosseum in Rome. Uiteindelijk vond hij het. Het was meer een ovaal en het lag in de verste hoek van de stad, helemaal aan het eind van de Via dell' Abbondanza.

„Porta," mompelde Thomas. Waarom heetten zoveel van deze plaatsen porta? 'Poort…' Het was geen poort zoals hij dat kende, want dat woord betekende zoiets als 'doorgang in een muur'. Dat was een rare naam voor een gebouw.

„Poort…" Thomas bleef naar de kaart kijken en bladerde door zijn woordenboek. 'Poort' – hij vond het woord en zuchtte diep. Er stonden meer dan vijf verschillende betekenissen! Dat was het probleem met talen, bedacht Thomas. Net als je dacht dat je het begreep, was er weer meer.

Van onder naar boven las Thomas de lijst door. Poort: onderdeel van een computer – daarna iets dat te maken had met het kegelspel – het kegelspel?! – dan een doorgang tussen de bergen… Thomas' vinger stopte bij de betekenis die hij al bedacht had, de eerste: '(gewelfde) doorgang met zware afsluitdeuren, toegang gevend tot een (oude) stad, vesting of kasteel, vooral wanneer het groot en indrukwekkend is. Van het Latijnse *porta* – een doorgang.'

Thomas was wel tevreden over zichzelf. Hij besloot het allemaal op te schrijven. Het zou vast nog eens van pas komen – als het niet voor het vulkanenproject was, dan misschien later dat jaar wanneer ze de Romeinen gingen bestuderen.

Hij ging weer naar de stadsplattegrond. Tegenover de Via dell'Abbondanza lag de Porta Marina. Dat laatste woord wist hij wel. Het leek op 'marine', dat had iets met boten te maken. Hij pakte zijn woordenboek weer en vond het woord met de betekenissen – ze hadden allemaal met de zee te maken – dus gokte hij erop dat dit de poort was die naar de haven en de Middellandse Zee leidde. Zijn ogen dwaalden terug naar de plek waar de straat de Via Stabiana kruiste. Onder aan de kaart, dicht bij de Porta Stabia, lagen de barakken waar de Droommeester op dit moment zat te wachten op zijn gevecht op leven en dood. Thomas rilde. Hij volgde met zijn ogen de Via Stabiana terug naar de bovenkant van de kaart, waar de straat de stad uit ging – de weg die het binnenland in ging, naar het noorden waar de machtige stad Rome lag. De naam van de poort sprong van de pagina: 'Porta Vesuvio'.

„Porta Vesuvio," fluisterde Thomas.

Hij had geen woordenboek nodig om dat te vertalen. De Vesuvius was de berg in Italië die ooit een actieve vulkaan was geweest, een erg actieve vulkaan. Zijn opa zei dat die was uitgebarsten tijdens de Tweede Wereldoorlog. Maar het was toen niet zo'n grote uitbarsting geweest. De beroemdste was eeuwen eerder geweest, in de oude tijd.

Thomas vroeg zich af of Linus of Rhea Silvia zich er iets van zou herinneren. Dat zou echt geweldig zijn! Hij zou de beste beschrijving van een vulkaanuitbarsting hebben van de hele klas, als hij van een paar ooggetuigen kon horen wat er gebeurd was! Als hij daar weer was, zou het het eerste zijn wat hij aan Linus ging vragen. Toen Thomas nog wat meer las, kreeg hij een onrustig gevoel. Het was een warme avond, maar hij trok het dekbedovertrek dicht om zich heen.

Er waren afbeeldingen waarop de vulkaan vuur spuwde, met rook en gesmolten lava. Lava en dodelijke dampen kwamen langs de berghellingen naar beneden. De uitbarsting was zo snel en zo vreselijk dat bijna iedereen was omgekomen. De stad was eeuwenlang onder de as bedolven geweest.

Het moest geweest zijn na de periode waarin Linus en Rhea Silvia leefden, bedacht Thomas, als de stad meer dan duizend jaar bedolven en vergeten was geweest. Hij herinnerde zich zijn gesprek met Linus, toen ze langs het Odeon naar de barakken van de gladiatoren waren gegaan. Linus had geweten van een soort ramp in Pompeji. Alleen had hij het niet over de vulkaanuitbarsting gehad, maar over een aardbeving.

„Ze zijn nog steeds gebouwen aan het repareren die jaren geleden bij de aardbeving kapot zijn gegaan," zoiets had Linus gezegd.

Daarna had hij Thomas verteld dat hij zich niets van de aardbeving kon herinneren, omdat die voor zijn geboorte had plaatsgevonden. Het was in het jaar geweest waarin Rhea Silvia was geboren.

Thomas keek weer in zijn boek. Over de aardbeving in Pompeji stond bijvoorbeeld dat het in het jaar 62 na Christus gebeurd was. Thomas wist dat Rhea Silvia zeventien jaar was, omdat hij haar tegen Laura had horen zeggen dat het haar zeventiende zomer was.

Thomas klapte het boek dicht, ging liggen en sloot zijn ogen. Hij kreeg weer maagkrampen, zoals altijd wanneer er problemen waren. Nu wist hij zeker dat hij zo snel mogelijk terug moest naar Pompeji. Dit probleem was zo groot, dat hij er niet eens aan durfde te denken, laat staan erover schrijven.

Als Rhea Silvia zeventien jaar was en ze was geboren in het jaar van de grote aardbeving, in het jaar 62 na Christus, dan was het jaar waarin zij en haar broer én de Droommeester momenteel in Pompeji leefden, het jaar 79.

Thomas kneep zijn ogen stijf dicht. Hij hoefde niet nog een keer in het boek te kijken. De laatste zin die hij had gelezen, zat nog woord voor woord in zijn hoofd:

*In het jaar 79 barstte de vulkaan de Vesuvius uit, waarbij bijna de hele bevolking van Pompeji om het leven kwam en de stad volledig bedolven werd.*

## 9

De volgende ochtend bij het ontbijt deed Thomas' hoofd
zeer. Hij was moe en had zoveel spierpijn, dat hij nauwelijks zijn lepel uit zijn kom met cornflakes kon tillen. Hij
had niet goed geslapen en hij wist dat hij wat rust in zijn
hoofd nodig had, zodat hij de problemen aankon waar hij
in Pompeji mee te maken zou krijgen, als hij daar terug
kon komen.

Laura was chagrijniger dan normaal en ze klaagde over
het warme weer. „Het is altijd hetzelfde," zeurde ze. „Het
wordt zonnig zodra we weer naar school moeten."

„Ik weet niet wat er met jullie tweeën aan de hand is,"
mopperde Thomas' moeder. „Gisteren was Laura al zo
lusteloos en vanmorgen is het met jou niet veel beter,
Thomas. Wat zijn je plannen voor vandaag?"

Thomas besefte dat zijn moeder hem een vraag stelde.
„Plannen… vandaag?" Thomas voelde hoe zijn hersenen

een soort langzame glijbeweging maakten, zoals ze wel vaker deden wanneer iemand hem een vraag stelde. „Eh…" Hij grabbelde in zijn broekzak en vond de gordijnring die zijn opa hem had gegeven om dingen te helpen onthouden. Hij voelde het stukje papier dat hij er gisteren omheen gewikkeld had. Het was een aantekening over zijn internetafspraak! „Bibliotheek," mompelde hij met een hap cornflakes in zijn mond. „Schoolproject."

„En jij, Laura?" Thomas' moeder wendde zich tot zijn zus.

Laura rolde met haar ogen en negeerde haar moeder.

Thomas' vader ving Laura's blik op. „Is het toegestaan dat men informeert naar de plannen die u gemaakt hebt voor deze dag?" vroeg hij op een zoet toontje.

Laura stond op en liep als een robot naar de deur. Daar stopte ze en, recht voor zich uit starend, zei ze op één toon: „Ik – ga – nu – weg. Ik – heb – afgesproken – met – mijn – vriendin – Radslag. We – gaan – naar – het – huis – van – onze – vriendin – Bar. – Bar – en – Radslag – zijn – al – goedgekeurd – voor – direct – contact – door – de – Afdeling – Ouders – van – de – FBI.

Ik – kom – eind – van – de – middag – thuis.

Ik – zal – niet – met – vreemden – praten.

Ik – zal – geen – drugs – gebruiken.

Ik – zal – geen – alcoholische – drankjes – drinken.

Tot – ziens."

Laura draaide zich op haar hakken om. De deur knalde dicht.

Thomas' moeder keek naar zijn vader. „Ik zou nooit zo tegen mijn ouders hebben durven praten."

„Laten we het positief bekijken," zei Thomas' vader. „Ze heeft niet echt ergens mee gesmeten." Hij keek naar Thomas. „Zou jij ons een plezier willen doen, ouwe jongen? Als je in de pubertijd komt, druk dan even op je vooruitspoelknop."

Thomas' moeder had intussen een grote ringband gepakt, die op de keukentafel lag. Hij bevatte de aantekeningen van de cursus 'ontwikkeling' die ze met haar lerarengroep moderne talen had gevolgd. „Misschien staat hier iets in over dit soort situaties," zei ze. „Ik weet zeker dat er een heel gedeelte was over 'Aspecten van communicatie'."

„We kunnen misschien beter een bord maken, waarop staat: 'Gevaarlijke hormonen-zone' en dat op Laura's kamerdeur hangen," stelde Thomas' vader voor.

„Wacht!" Thomas' moeder haalde een bladzijde uit de map. „Hier staat iets over een-op-een-reacties. Er staat dat we niet alleen moeten luisteren en opletten, maar dat we ook moeten zéggen dat we dat doen. En dat moeten we zeggen met woorden én onze lichaamstaal. 'Maak oogcontact. Laat hen weten dat ze je volledige aandacht hebben. Dat je hen zíet en dat je echt luistert'." Ze keek naar de aantekeningen. „Zien en opletten," herhaalde ze zacht. Ze keek naar Thomas en schoof haar stoel dichter naar hem toe. „Ik zie je."

Thomas keek op van zijn ontbijt.

Zijn moeder hield zijn blik vast. „Ik zie je heel goed."

„Wat?" zei Thomas geschrokken. Hij moest een aanwijzing van zijn tripje naar Pompeji op zijn kamer hebben laten liggen. „Wat heb je gezien?"

„Jou," zei zijn moeder, zonder haar ogen van Thomas' gezicht af te wenden. „Ik zie jou. Jij hebt mijn volledige aandacht."

„Ik wil helemaal geen volledige aandacht. Waarom moet je mij altijd hebben?" Thomas stond op, slingerde zijn rugzak over zijn schouder en sloeg de achterdeur achter zich dicht.

De eerste twee mensen die Thomas zag toen hij bij de bibliotheek aankwam, waren Eddie en Lisa. Hij was net het gebouw binnengegaan en ze liepen voor hem. Altijd als hij hen zag, werd Thomas misselijk. Hij wist dat zijn opa hem een goed advies had gegeven, toen hij zei dat hij hen moest negeren, maar Thomas wist ook dat daar veel wilskracht voor nodig was. Het betekende dat hij zich heel goed moest concentreren op iets anders en daar was hij vanmorgen niet toe in staat.

Eddie en Lisa liepen langs de balie, rechtstreeks naar de computerhoek. Thomas draaide zich bijna meteen om, om weg te gaan. Maar hij aarzelde even en op dat moment zag de bibliothecaresse hem. Ze gebaarde naar een computer.

„Ik zal voor je inloggen en als je me een idee geeft van wat je zoekt, dan help ik je op weg."

Thomas knikte als dank. Hij luisterde maar half. De Pestkoppen waren nu verderop in de bibliotheek en Thomas kon het niet helpen dat zijn blik naar hen afdwaalde, terwijl de bibliothecaresse druk bezig was met de computer. Ondanks zijn goede bedoelingen hadden zijn ogen heel andere plannen.

Thomas zag dat Eddie en Lisa stil bleven staan en hun tassen op de grond zetten. De twee treiteraars gingen vlak naast iemand anders zitten die achter een computer zat te werken. Thomas herkende Vojek, een jongen die pas vorig jaar op school was gekomen en die de klas lager dan hij zat. Thomas vroeg zich af wat de Pestkoppen van plan waren.

Ineens keek Eddie op en zag Thomas naar hem kijken. Meteen stootte hij Lisa aan. Lisa draaide haar hoofd om en keek ook.

Thomas sloeg snel zijn ogen neer, maar het was te laat. Ze hadden hem gezien! De Pestkoppen hadden hem in de gaten!

Thomas voelde een golf van misselijkheid opkomen. Hij slikte voorzichtig en probeerde zijn cornflakes binnen te houden. Eddie en Lisa bleven hem lang, heel lang aankij-ken… en toen gebeurde er iets fantastisch. Lisa schudde haar hoofd. Ze wees naar Vojek. De Pestkoppen hadden een nieuw slachtoffer gevonden.

Thomas voelde dat zijn spieren langzaam ontspanden en hij begon te ademen. Ze zaten vandaag niet achter hem aan. Iemand anders was aan de beurt.

„Zo, helemaal klaar."

Thomas draaide zijn hoofd. De bibliothecaresse had het tegen hem.

„Er zijn een paar goede sites over vulkanen. Ik heb ze voor je bij 'favorieten' gezet. Ik moet nu wat dingen doen, dus ik laat het aan jou over om rond te kijken, maar je kunt me roepen als je hulp nodig hebt."

Thomas ging zitten en begon aan zijn internetzoektocht.

Er was een overweldigende hoeveelheid informatie over vulkanen. Over exploderende vulkanen, vulkanen onder de zeespiegel – de grootste vulkaan van allemaal was in de ruimte! Thomas maakte een heleboel aantekeningen en ging toen op zoek naar informatie over de uitbarsting bij Pompeji.

Hij vond een uittreksel van een verslag dat geschreven was door een Romein, genaamd Plinius de Jongere, die de uitbarsting met eigen ogen vanaf de andere kant van de baai had zien gebeuren. Hij schreef over een rookkolom en een vreemde, donkere wolk die de zon verduisterde. Er waren kleine aardbevingen geweest voordat de eerste uitbarsting plaatsvond. Maar het waren niet de uitbarstingen van stenenregens of de hete as die zoveel bewoners gedood hadden. Het was het vernietigende gas dat een paar uur later kwam, met een angstaanjagende snelheid. De vulkaan lag vijftien kilometer bij Pompeji vandaan, maar binnen enkele minuten waren duizenden mensen gestikt door de gaswolken die van de helling snelden.

Thomas keek naar de foto's van het archeologisch opgravingsterrein dat Pompeji nu was geworden. Hij zag de ruïnes van de huizen langs de Via dell'Abbondanza, van het amfitheater, van de barakken van de gladiatoren. De straten waar hij met Linus had gerend – ze waren binnen enkele uren allemaal vernietigd.

De top van de berg was rond de middag ontploft en twaalf uur lang waren stenen, as en puin op de mensen en de gebouwen gevallen, als hete hagelstenen. Toen was de grote rookkolom in elkaar gezakt en – Thomas schreef de zin heel precies in zijn notitieblokje – de pyroclastische golf* was van de berg naar beneden gekomen en niets was daartegen bestand.

Thomas besloot om de pagina's te printen en dan weg te gaan. Hij maakte zich zorgen over de Droommeester, die hij zo lang alleen liet zonder zijn cape. En er was iets met die beschrijving van de verwoesting van Pompeji wat hem angst aanjoeg, maar hij wist niet precies waarom.

*pyroclastische golf: alles, zoals as, lava en stenen, wat uit een vulkaan komt na een uitbarsting

## 10

Toen hij omkeek, zag Thomas dat Vojek in elkaar gedoken op zijn stoel zat, om zo min mogelijk op te vallen. Eddie en Lisa waren gestopt met hun pesterijen, want ze waren naar de afdeling met naslagwerken gegaan. Maar Vojek had zijn hoofd en nek tussen zijn schouders getrokken. Thomas wist precies hoe het voelde om gepest te worden. Hij keek naar Vojek en het was alsof hij zichzelf zag.

Er was iets mis. Maar dat waren zijn zaken niet, besloot Thomas. Hij had zijn eigen problemen: de Droommeester moest gered worden, hij moest zijn huiswerk maken en trouwens, hij had helemaal geen behoefte om weer moeilijkheden te krijgen met Eddie en Lisa. Vojek zou op zichzelf moeten passen, net zoals Thomas dat deed…

Alleen deed hij dat niet – niet helemaal in ieder geval. Thomas' vrienden Vicky, Ellen en Inez kwamen vaak voor hem op en hij had zijn opa om mee te praten. Wie had

Vojek? Thomas probeerde zich te herinneren wat juf Marjan had gezegd over het verwelkomen van mensen die vluchtten voor onderdrukking en hoe die, op welke manier dan ook, geholpen moesten worden. Maar dat was moeilijk. De families die asiel zochten in het dorp, spraken heel weinig Nederlands.

Thomas dacht na over taal en hoe het hielp om het leven makkelijker te maken. Hij dacht aan zijn zus Laura en haar vrienden en de gekke sms'jes die ze elkaar stuurden met hun mobiele telefoons. Hoe makkelijk het voor hen was om dat te doen en er lol mee te hebben omdat ze wisten wat de letters betekenden.

Als Thomas met de droommantel reisde, leek het niet uit te maken. Op de een of andere manier begreep hij de taal van Linus en Rhea Silvia en zij begrepen hem. Hoe zou het zijn om niet begrepen te worden? En niet op de manier zoals een heel klein kind iets niet begrijpt – als je jong bent, ben je nu eenmaal te klein om iets van de dingen af te weten. Maar Vojek wist wel van dingen af. Hij zou in zijn eigen land gewoon kunnen praten en lachen.

Thomas liep langzaam door de bibliotheek, stopte en keek naar Vojeks computer. Er stond allerlei onzin op het scherm. Vojek hield zijn hoofd gebogen.

Thomas raakte zacht zijn schouder aan. Toen het jongetje opkeek, wees Thomas op zichzelf en zei: „Thomas. Ik heet Thomas."

„Vojek," mompelde de jongen. „Heet Vojek."

Thomas wees op het scherm. „Wat is dit?"

„Schrij-ven en le-zen." Vojek sprak het zorgvuldig uit. „Ik wil Nederlands leren."

Dat zal daarmee niet lukken, dacht Thomas. Er klopte iets niet, of... natuurlijk! De Pestkoppen! Het was net iets voor hen om wat te rotzooien en Vojeks programma in de war te sturen.

Thomas wees naar de computer en toen naar de afdeling naslagwerken. Hij maakte gebaren met zijn handen. „Hebben Eddie en Lisa aan je computer gezeten?"

„Ja," fluisterde Vojek. Hij wierp een angstige blik over zijn schouder en keek toen geschrokken op. De bibliothecaresse stond achter hen.

„Wat is het probleem, jongens?"

„Het toetsenbord is vastgelopen," antwoordde Thomas. „En de muis doet het ook niet meer."

De bibliothecaresse keek naar het scherm. „Ik heb er een cd in gedaan met een basisprogramma schrijven en lezen in het Nederlands. Je hebt de instellingen gewijzigd," zei ze tegen Vojek.

Vojek zei niets terug.

„Ik denk niet dat hij dat gedaan heeft," nam Thomas het voor hem op.

„Maar dat moet wel." De bibliothecaresse schudde haar hoofd. „Jongens toch. Dit zijn de beste spullen en die hebben we om jullie te helpen. Als jullie ermee klieren, dan gaat de boel alleen maar stuk." Ze sloot het programma af en deed de computer uit. Daarna draaide ze het apparaat om. „Aha, de stekkers zijn verwisseld. Wat jullie hebben gedaan, is gevaarlijk!" zei ze boos.

Vojek uitte geschrokken een geluidje. „Nee! Nee! Geen problemen. Geen problemen. Mijn moeder bang... als problemen zijn."

Thomas zag de angst in Vojeks ogen. Juf Marjan had haar leerlingen verteld dat de ouders van Vojek hier waren gekomen om hun gezin in veiligheid te brengen. Zijn vader was arts en had in zijn eigen land geprobeerd om patiënten van beide kanten van de strijd te helpen.

„Ik begrijp dat een heleboel dingen hier heel vreemd voor je zullen zijn," vervolgde de bibliothecaresse. „Maar je moet wel weten dat je niet met je handen aan de achterkant van apparaten moet zitten. Je kunt jezelf pijn doen en het kan ook zijn dat je de apparaten niet meer mag gebruiken."

„Ja. Dank u," zei Vojek.

Thomas staarde hem aan. Vojek was bereid om de schuld op zich te nemen, omdat hij bang was voor problemen. Hij was naar dit land gekomen om vrij te zijn van angst en meteen werd die vrijheid van hem afgepakt...

Thomas wist hoe het was om je mond niet open te durven doen. Maar als hij niet voor zichzelf op kon komen, dan kon hij het misschien wel voor iemand anders. Hij moest het. Hij kon het. Hij wilde het. „Vojek heeft de achterkant van het apparaat niet aangeraakt."

„Heb jij het dan gedaan?" De bibliothecaresse sloot het toetsenbord en de muis weer goed aan.

„Vojek heeft het niet gedaan en ik ook niet." Thomas deed alsof hij verward was. „Ik denk dat het iemand anders geweest moet zijn."

De bibliothecaresse keek hem uitdrukkingsloos aan. „Alles werkte toen ik hem aanzette en alleen jullie tweeën zijn hier nu."

„Misschien is het eerder gebeurd," bedacht Thomas.

„Toen ik aankwam, liepen hier toch een paar mensen?"

De bibliothecaresse knipte met haar vingers. „Die twee jongelui die gisteren aan het rotzooien waren. Ze kwamen vlak voor jou binnen en gingen naar de afdeling naslagwerken. Weet je hoe ze heten?"

Thomas voelde zich een beetje misselijk. Hij aarzelde. Het was vreselijk om te doen: iemand verraden. Toen zag hij Vojeks kleine, gespannen gezicht. „Eddie en Lisa," antwoordde Thomas. „Ze stopten bij Vojeks tafel en waren aan het rommelen toen u bezig was mijn computer op te starten."

„Ik ga even met ze praten," besloot de bibliothecaresse. „Ik kan niet toestaan dat iemand de apparatuur kapotmaakt en iemand anders ervoor laat opdraaien." Ze zag er erg vastberaden uit.

Thomas stond voor haar. „Het was een geluk dat u net langsliep en Eddie en Lisa bezig zag," zei hij overtuigend.

„Dat was ik niet, Thomas, dat was jij." De bibliothecaresse keek verbaasd.

„Nee," zei Thomas nadrukkelijk. „Dat was u."

De bibliothecaresse keek hem onderzoekend aan. „Jij was dat. Je hebt het me twee minuten geleden verteld."

Thomas wendde zijn blik niet af van die van haar. „U… was… het," zei hij beslist.

Toen de bibliothecaresse haar mond weer opendeed, trok Vojek haar zacht aan haar mouw. „Thomas geen klikspaan," fluisterde hij.

„Wát?" De bibliothecaresse keek naar het jongetje en toen naar Thomas. „O… o, ik snap het. Ja, natuurlijk." Ze sprak langzaam. „Oké, even voor de duidelijkheid. Ik keek naar deze computer om te controleren hoe het met Vojek ging en ik zag dat Eddie en Lisa iets deden aan de achterkant van het apparaat. Dat was toen ze hier stopten, op weg naar de afdeling naslagwerken... en dat heb ik gezien." Ze glimlachte naar Thomas en Vojek. „Is het zo gegaan?"

Thomas knikte.

„Goed," zei de bibliothecaresse. „Ik denk dat ik nu maar een praatje met die twee ga maken." Ze liep met grote stappen naar de afdeling naslagwerken.

Thomas haalde zijn afdrukken uit de printer. Hij ging expres zo staan, dat hij geen gemene gebaren van Eddie en Lisa kon zien, die ze misschien zouden maken als ze de bibliotheek verlieten. Thomas wist dat de Pestkoppen nog niet klaar waren met hem of Vojek, of nog een paar anderen. Ze zouden doorgaan en doorgaan met het pesten. Thomas moest zijn eigen manier vinden om met hen om te gaan, en Vojek ook...

Thomas keek naar de kleine Vojek, die eerst diep over zijn muismat gebogen had gezeten. Nu waren Vojeks schouders niet meer zo krom. Hij zat rechtop en surfde vrolijk door zijn talencursus. Hij zag dat Thomas naar hem keek en lachte.

Toen de asielzoekers pas waren gekomen, had de bibliothecaresse overal in de bibliotheek kaartjes opgehangen met zinnen in buitenlandse talen. Thomas liep rond tot hij er een in het Kroatisch vond. Hij keek de lijst door tot hij een goede begroeting vond. Hij bekeek de aanwijzingen over de uitspraak nauwkeurig en riep toen naar Vojek.

„Vidimo se! Tot ziens, Vojek."

Het jongetje keek blij verrast op. „Vidimo se!" antwoordde hij.

Nadat hij zijn prints op volgorde had gelegd en aan elkaar vast had geniet, verliet Thomas de bibliotheek. Hij voelde zich beter dan die ochtend. Zijn internetzoektocht had genoeg informatie over vulkanen opgeleverd om zijn schoolproject te kunnen schrijven en hij wist ook al veel meer over Pompeji. Zodra hij thuis was, zou hij teruggaan naar de oude Romeinse tijd om de Droommeester te redden. De Droommeester en hij konden dan samen Rhea Silvia en Linus ervan overtuigen om de rest van de zomer naar hun ouders te gaan, die op de mozaïekwerkplaats waren in Rome. Dan zouden de twee kinderen ver van Pompeji zijn, veilig voor de uitbarstingen van de Vesuvius.

Thomas ging even later fluitend de keuken binnen. „Ik heb honger. Wat eten we?"

„Een van onze kinderen praat in ieder geval nog tegen ons," zei Thomas' vader tegen zijn moeder. Hij stond op een ladder met een verfkwast in zijn hand en schilderde de kozijnen van de keukenramen.

Thomas' moeder trok net natte kleren uit de wasmachine. „Ik heb het wasprogramma onderbroken, want ik moet eerst eens goed naar die machine kijken. Toen de laatste lading erin zat, begon dat ding de raarste geluiden te maken. Het klonk bijna alsof er iemand in opgesloten zat."

Thomas keek naar de natte berg die voor zijn moeders voeten lag. Het oude badlaken dat hij de vorige dag uit de kast gepakt had, lag kletsnat en verfrommeld op de grond. Eroverheen en erdoorheen lag een blubberige, zompige, rode massa.

Thomas wankelde, alsof hij een klap in zijn gezicht had gekregen. Daar, op de keukenvloer, zonder nog een spoortje energie, lag de droommantel!

## 11

„Wat heb je gedaan!" Thomas' stem trilde zo erg dat hij niet verder kon praten. Hij knielde naast de droomcape neer. Het vreemde goedje sidderde en leek om hem heen te sijpelen.

„Ik... ik..." Thomas' moeder was geschokt. „Ik was kleren aan het uitzoeken en ik vond dit onder je bed."

„Ik bewaar mijn eigen spullen onder mijn bed!" riep Thomas. „Heb ik nou nergens in dit huis wat privacy?"

„Natuurlijk wel." Thomas' moeder probeerde haar arm om zijn schouders te slaan, maar Thomas duwde haar weg. „Het spijt me. Ik dacht dat het gewoon wat oude kleren waren die je op het strand had gedragen."

„Je hebt hem verpest!" Thomas moest bijna huilen. „Die doet het nooit meer. Hij is helemaal naar de knoppen."

Thomas' vader kwam van de ladder af om een blik te werpen op het vreemde rode spul.

„Wat is het eigenlijk?" vroeg Thomas' moeder.

„Dat lijkt me duidelijk," zei zijn vader.

Thomas' hart sloeg over. Hij keek naar zijn vader.

„Thomas heeft het al verteld. Het is een van zijn experimenten. Waarschijnlijk voor zijn schoolproject." Thomas' vader hurkte. „Kom jongen, waarom stop je dit... eh... stop je dit niet weer weg onder je bed. Niemand zal er meer aan komen." Hij keek omhoog naar Thomas' moeder.

Ze knikte. „Kom maar weer naar beneden als je dat gedaan hebt, dan maak ik een milkshake."

Thomas pakte de hoeken van de handdoek op en rolde die om de overblijfselen van de droommantel. Hij ging langzaam naar boven en schoof het pakketje terug onder zijn bed. Hij bleef een paar minuten zitten, maar hij wist dat hij weer naar beneden zou moeten zodat zijn ouders de kans kregen om het goed te maken. Anders zouden ze naar zijn kamer komen en proberen een zinnig gesprek met hem te voeren over emoties, relaties en groot worden.

In de keuken zag Thomas dat zijn vader de kasten doorzocht.

„Ah, Thomas, ik heb het." Zijn vader hield een klein flesje met een donkere vloeistof omhoog.

Thomas ging zitten en dronk van de milkshake die zijn moeder gemaakt had. „Wat?"

„Rode kleurstof voor voedsel. En maak je geen zorgen," voegde zijn vader eraan toe, toen hij de uitdrukking op Thomas' gezicht zag. „We gaan niet bakken."

„Wat gaan we dan wel doen?"

„Een vulkaan maken." Thomas' vader pakte de ketel vol

heet water op. „Wil je alsjeblieft wat koud water in een kom doen en dat naar buiten brengen, zodra je je milkshake op hebt, Thomas? Ik ga in de schuur de rest van de spullen bij elkaar zoeken."

Na een paar minuten ging Thomas achter zijn vader aan de tuin in.

„Het leek me nuttig voor je project als ik je dit zou laten zien."

Thomas keek toe hoe zijn vader in het schuurtje rommelde. Er is hier zoveel troep, bedacht Thomas, dat hij onmogelijk kan weten waar alles is.

Zijn vader pakte een oude kartonnen doos en sneed een vierkant uit een van de zijkanten. Daarna prikte hij met een spijker een gaatje in het midden. Hij vond een paar kurken, nog van de keer dat hij geprobeerd had om wijn te maken na een familiebezoekje aan Frankrijk. Daarna vond hij een glazen jampotje en een flesje met een smalle hals. Hij pakte alle spullen op en legde ze op de tuintafel.

„We doen een paar druppels van de kleurstof in dit flesje en vullen het met warm water uit de ketel. Dat is de kegel van de vulkaan."

Thomas' vader vulde het jampotje voor de helft met koud water en legde het vierkante stukje karton met het gat erin erbovenop. Daarna keerde hij de jampot en het kaartje op z'n kop en plaatste ze op het flesje met de kleurstof. Hij wachtte even en duwde er toen voorzichtig op. Langzaam drongen gekleurde sliertjes door het gat in het karton. Thomas zag hoe ze in straaltjes omhoogschoten door het koude water.

„Weet je waarom dit gebeurt?" vroeg Thomas' vader en

hij gaf het antwoord zelf al voor Thomas iets kon zeggen. „Omdat warme vloeistof opstijgt!"

Thomas bekeek de kleine rode wolkjes en stelde zich voor dat het vuur en hete stenen waren die door de lucht schoten.

„Moet je je voorstellen hoe dat eruitziet als het een miljard keer vergroot is," merkte Thomas' vader op. „De magmakamer diep in de vulkaan zit vol gesmolten gesteente. Dat probeert te ontsnappen door de aardkorst. Als het inderdaad door de oppervlakte breekt, stromen er rivieren van lava weg door de openingen. Soms is het magma niet zo vloeibaar. Het kan zo dik en hard zijn dat het de opwaartse druk van de gassen tegenhoudt."

Thomas' vader pakte een paar kurken en hield ze in de kom onder water. „Die gassen zijn dodelijk en ze zetten uit tot er een enorme explosie volgt." Hij liet de kurken los en ze schoten naar het wateroppervlak. „Er ontstaat een enorme, ongelooflijk hete, giftige wolk van as en gassen – een vulkanische uitstoot van heet materiaal."

Het was een warme middag, maar Thomas rilde. Hij wist na zijn onderzoek die morgen, dat de explosieve vulkaanuitbarstingen het gevaarlijkst waren. De kracht die de top van Mount Saint Helens af had geblazen, had acht miljard ton gesteente de lucht in geslingerd. Thomas wist ook dat mensen die in de buurt van dit soort vulkanen woonden, vaak nauwelijks of geen waarschuwing kregen over wat er ging gebeuren.

Thomas' vader pakte het model van de vulkaan op en nam het mee naar binnen. Thomas' moeder zat op haar knieën voor de wasmachine, tussen wat losse onderdelen, de gebruiksaanwijzing te bestuderen. Thomas' vader liet haar het vulkaanexperiment zien.

„Moet je kijken," zei hij. „Dit toont aan hoe de wetenschappelijke principes van vulkaanuitbarstingen werken." Hij zette het model op het werkblad. „Ik ben er behoorlijk trots op."

Thomas' moeder keek naar hem op. „De kozijnen zijn maar half geschilderd," zei ze kortaf.

„Ik breng wat kwaliteitstijd met mijn zoon door. Dat gun je ons toch wel?"

Thomas' moeder keek niet zo vrolijk naar zijn vader. „Ik ben blij dat jíj tijd hebt om je te vermaken."

Thomas begon langzaam naar de deur te lopen.

„Jij was degene die het vanmorgen had over het onderhouden van goede communicatie," zei Thomas' vader. „Ik noem het niet 'mezelf vermaken'. Ik zie het als gezellig iets met mijn zoon doen."

„O," zei Thomas' moeder. „Volgens mij is het heel simpel om modellen met kinderen te maken. Wat dacht je van iets dat echt moeilijk is?"

„Ik denk niet dat er iets is wat ik niet wil doen met mijn kinderen," zei Thomas' vader verongelijkt.

„Echt?" vroeg Thomas' moeder. Ze glimlachte, maar in haar ogen was triomf te zien.

O o, pap, dacht Thomas, je had beter moeten uitkijken. Hij herkende zijn moeders blik. Als je zou zitten te schaken, was het die uitdrukking op het gezicht van je tegenstander, vlak voordat die 'Schaakmat' zei.

„Weet je wat, schat." Zijn moeders toon was zacht, maar er zat toch iets scherps aan. „Morgen mag jij met Laura gaan winkelen, om nog wat kleren voor haar te kopen."

Het bleef een tijd stil.

„O," hoorde Thomas zijn vader zeggen, toen hij onopvallend de keuken uit glipte.

## 12

„WAAR IS MIJN DROOMMANTEL?!" De Droommeester kreeg bijna een rolberoerte. Hij wierp zichzelf tegen de deur van zijn cel in de gladiatorenbarakken – klodders schuimend spuug hingen in zijn baard.

„Thuis," antwoordde Thomas zenuwachtig.

„Waarom heb je hem niet hier?"

„Eh... het is eigenlijk mijn moeders schuld," begon Thomas.

„Wat?"

„Mijn moeder," herhaalde Thomas. „Ik had de droommantel in een doos onder mijn bed gelegd. Ik dacht dat hij daar veilig zou zijn. Ze besloot om mijn kleren uit te zoeken, dus haalde ze alles onder het bed vandaan en..."

De Droommeester stak zijn hand tussen de tralies door en greep Thomas bij zijn nek. „Vertel me waar mijn droommantel is, op precies dit moment. Nu!"

„Hij ligt onder mijn bed in mijn kamer."

„Ik dacht dat je zei dat je moeder hem had."

„Dat was ook zo, maar ik heb hem teruggekregen."

„Maar je zei dat het haar schuld is dat je hem nu niet bij je hebt."

„Dat is ook zo." Thomas ademde heel diep in en sprak toen zo vlug als hij kon. „Ze vond dat hij er nogal vies uitzag en dacht dat hij op zou knappen van een snel wasje."

„Waar heb je het over?"

„De wasmachine."

„De wasmachine?"

Thomas trok de vingers van de Droommeester los van zijn nek en stapte achteruit, weg van de celdeur. „Mijn moeder heeft je droommantel in de was gegooid."

„WAAAT?!" Het mannetje stampte zo hard, dat een van zijn scheenbeschermers afviel. „Heb jij toegestaan dat je moeder mijn droommantel in de wasmachine stopte?"

„Ze heeft wasverzachter gebruikt," zei Thomas.

„Het kan me niet schelen wat ze gebruikt heeft!" brulde de Droommeester. „Je moet een droommantel gewoon niet in een wasmachine stoppen. Het is volkomen respectloos! Mijn droommantel heeft vuur, vloedgolven en hongersnood overleefd. Mijn droommantel heeft me door de Rode Zee vervoerd, de Dode Zee en over de Stille Oceaan. Ik heb op de Chinese Muur gelopen en gezwommen in de Koraalzee bij Australië. Mijn droommantel…" Zijn stem stierf weg.

„Het spijt me echt," zei Thomas.

De Droommeester ging zitten, met zijn hoofd in zijn handen. „Ik had kunnen weten dat het de eenentwintigste eeuw zou zijn die mijn droommantel zou beschadigen. De mensen die in deze Tijd leven, snappen nergens wat van."

Hij staarde naar Thomas. „Je moeder stopt hem in een wasmachine en jij denkt, domme druiloor, dat het helpt als je er wasverzachter aan toevoegt?"

„Ik had hem na een paar minuten al terug," zei Thomas. „Het komt vast wel weer goed. Maar wat moeten we nu doen?"

De Droommeester keek hem aan. „Probeer nu eens echt om een droom goed te sturen. Zou dat lukken, denk je? Ben je bijvoorbeeld in staat om dit slot te laten verdwijnen?" Hij wachtte. Daarna schopte hij tegen zijn celdeur. „Ik dacht al van niet," zei hij. „Mag ik ook even vragen waarom het twee dagen duurde voor je terugkwam?"

„Ik had wat problemen met de droomzijde, waardoor ik vertraging opliep," gaf Thomas toe. Hij zou de Droommeester later wel vertellen wat er met hem gebeurd was, toen hij als een boemerang door de Tijdruimte geschoten was… veel later. „Ik moet nog steeds oefenen."

„Best," zei de Droommeester. „Haal je stukje droomzijde te voorschijn, dan proberen we uit het oude Pompeji weg te komen."

„Ah…" zei Thomas. „Daar moeten we het nog even over hebben."

„Waar moeten we het over hebben? Gebruik je droomzijde en wegwezen hier."

„Nee." Thomas stak zijn hand op toen de Droommeester zijn mond opendeed. „Luister. Het is nu het jaar 79 na Christus. Dit is het jaar waarin de Vesuvius uitbarstte en Pompeji bedolven werd. Ik ga niet weg voordat ik een paar mensen heb gewaarschuwd voor wat er gaat gebeuren."

De Droommeester keek Thomas ernstig aan. „Je kunt de geschiedenis niet veranderen."

„Ik weet het," knikte Thomas. „ Maar ik kan Linus en Rhea Silvia proberen over te halen om weg te gaan."

„Wat moet je proberen?" vroeg een stem.

Thomas draaide zich om.

Linus stond achter hem. „Ik heb al een tijdje naar je gezocht. Je had hier niet zonder mij naar toe moeten gaan," zei hij boos.

Thomas keek omlaag.

„Maar vandaag is de feestdag. We gaan nu meteen naar het amfitheater om te zorgen dat we goede plaatsen hebben." Linus salueerde naar de Droommeester. „Ik wens u sterkte."

Voordat de Droommeester of Thomas iets terug kon zeggen, hoorden ze het geluid van naderende marcherende voetstappen.

„Ze komen u halen," zei Linus. „Het is tijd voor uw gevecht."

## 13

„Slaven mogen niet bij hun meester zitten," zei Linus
tegen Thomas toen ze het amfitheater binnenkwamen. Hij
legde zijn hand op Thomas' arm. „Probeer je niet te veel
zorgen te maken om je vriend. Het is een eervolle manier
om te sterven."

Thomas huiverde. Linus kocht wat te eten voor tijdens
de wedstrijden en daarna liet Thomas hem achter op een
stoel in het schaduwrijke gedeelte van het amfitheater.

Thomas liep het enorme stadion rond, zich een weg
banend door de drukte totdat hij vlak bij de muur bij de
entree van de gladiatoren stond. Achter hem raakten de
oude stenen banken en houten stoelen snel bezet. De
inwoners van Pompeji kwamen allemaal kijken naar de
nieuwe strijder met de driftbuien, over wie al dagen in de
hele stad werd gesproken.

Thomas hield zijn hand boven zijn ogen tegen de

stijgende zon en keek toe hoe de optocht van de gladiatoren de arena binnenkwam, geleid door een Indische olifant en twee kamelen. De Droommeester met zijn kleine lijf liep voorop. Thomas maakte wanhopige gebaren, terwijl de rij dieren en mensen rondliep in de arena. Uiteindelijk zag de Droommeester hem en hij gebaarde dat hij Thomas had zien zitten.

De optocht ging weer naar buiten. Er was een pauze, waarin mensen weddenschappen afsloten en eten en drinken kochten. Toen werd het eerste gevecht aangekondigd.

Na een heleboel luid trompetgeschal stond de leider van de spelen op en schreeuwde: „Vandaag presenteer ik u allereerst de beroemdste, de meest getalenteerde, de dapperste… Dominus Somniorum!"

Thomas' tong plakte van angst aan zijn gehemelte vast, toen de Droommeester in het verblindende zonlicht in het amfitheater stapte. Het gebrul van het publiek deed hem bijna opspringen.

„Wat zeggen ze?" riep de kleine man naar Thomas. Hij draaide zijn hoofd heen en weer in de helm. „Ik kan amper iets horen of zien in dit tinnen ding!"

„Ze roepen om je," antwoordde Thomas.

„Dominus Somniorum! Dominus Somniorum!" herhaalde het publiek ritmisch.

„Is er nog iemand anders in de arena?" vroeg de Droommeester.

„Nee," zei Thomas, „maar…"

„Soms moet je duidelijk zijn tegen mensen," merkte de Droommeester op. „Ik heb hun verteld dat ik niet zou vechten en ze hebben mijn wensen gerespecteerd." Hij trad naar voren, zwaaide met zijn zwaard hoog boven zijn hoofd en bedankte voor het applaus van de toeschouwers. Hij boog naar alle vakken van het amfitheater en legde vervolgens zijn zwaard neer. „Kan ik nu gaan?" vroeg hij.

Het publiek brulde opgewonden. Thomas keek naar de mensen naast zich, die juichten en applaudisseerden. Ze vonden dat het kleine mannetje veel zelfvertrouwen had! Ze dachten dat de Droommeester voor een ongewapend gevecht koos!

Een ratelend geluid echode rond in het amfitheater. Het publiek werd stil. In de verste muur schoof een roestig ijzeren hekwerk schurend omhoog. Vanuit de achterliggende duisternis sprong een volwassen leeuw grommend in het zand.

Thomas greep haastig onder zijn T-shirt naar het pakje dat hij er had verborgen. „Rennen!" schreeuwde hij naar de Droommeester. „Hierheen! Rennen!"

Dat hoefde hij de kleine man geen twee keer te zeggen. Hij haastte zich zo snel mogelijk naar het deel van de piste waar Thomas was. „Ik hoop dat je een plan hebt!" brulde hij.

Thomas' hart bonkte zo hard, dat hij dacht dat hij om zou vallen. „Het is het enige wat ik kon bedenken!" riep hij terug en hij gooide de spullen die hij van thuis, uit het schuurtje, had meegenomen.

„Drie Romeinse kaarsen, een duizendklapper en twee sterretjes? Moeten die mijn leven redden?" jammerde de Droommeester.

„Vergeet niet de lucifers op te rapen!" schreeuwde

Thomas. „En probeer er dapper uit te zien. Linus zegt dat de mensen voor de dappere krijgers zijn en zij bepalen jouw lot."

Het was inderdaad een geluk dat de mensen het nieuwe gladiatortje met de naam Dominus Somniorum zo leuk vonden. Ze zagen niet alleen het neerleggen van zijn zwaard als een enorm moedige daad, ze hadden ook nog eens grote bedragen op zijn overwinning ingezet.

De leeuw naderde de Droommeester en voelde wel aan dat hij een makkelijk, maar niet al te voedzaam hapje was. Het publiek begon nu te gooien met alles wat ze te pakken konden krijgen. Terwijl het mannetje druk in de weer was om een lucifer af te strijken en het vuurwerk aan te steken, stuiterden allerlei potjes, munten, flesjes, sandalen en stenen tegen het lichaam van het roofdier. De leeuw stopte verward en schudde met zijn kop.

Ineens kreeg Thomas een geweldig idee. Hij greep het dienblad van een van de verkopers, rende de arena rond en smeet het eten neer bij de opening van de leeuw zijn hok. Er klonk gemompel op de tribunes. Thomas probeerde te slikken, maar zijn keel was te droog. Zouden ze dit als vals spel beschouwen?

Opeens stond er een klein iemand op van zijn stoel die luid riep: „Hoera! Overwinning voor Dominus Somniorum!"

Thomas keek naar de andere kant van het amfitheater. Aan de overkant, achter de muur die kleurig beschilderd was met strijdtonelen en portretten van vroegere vechters, zag hij Linus op zijn stoel klimmen en zijn eigen eten naar beneden werpen.

De toeschouwers schreeuwden goedkeurend en haastten zich om zijn voorbeeld te volgen. Het werd een bende, toen het brood, fruit, kaas en vleesspiesen in de arena regende.

Intussen was het de Droommeester gelukt om wat van het vuurwerk af te steken. Hij stond in een kring van felgekleurde Romeinse kaarsen, met een sterretje in iedere hand. De leeuw deinsde achteruit vanwege het vuur en rende naar de plek waar hij een maaltijd rook die niet zou tegenstribbelen.

„Dat was het vreemdste gevecht dat ik ooit heb gezien," merkte Linus op, toen de drie het amfitheater verlieten. „Hoewel we in Pompeji bekendstaan om de chaos tijdens onze spelen. Vroeger gedroeg het publiek zich zo slecht, dat de Romeinse Senaat ons verbood om nog activiteiten te organiseren in het amfitheater." Hij keek bewonderend naar de Droommeester. „U was erg dapper dat u het gevecht met de leeuw zonder zwaard aandurfde. Het is niet zo vreemd dat u uw vrijheid hebt gekregen."

„Ik heb veel ervaring in allerlei soorten situaties," schepte de Droommeester op. „Ik hoefde niet veel moeite te doen om dat beest te slim af te zijn."

Thomas was te hard aan het nadenken over hoe hij Rhea Silvia en Linus kon overhalen om de stad te verlaten, om tegen de Droommeester in te gaan. Als hun moeder naar Rome was gegaan om bij hun vader te zijn, dan kon hij misschien doen alsof zij had gevraagd of de kinderen ook bij hen kwamen. Maar dan was er het probleem van de reis naar Rome. Ze konden moeilijk gaan lopen en hij had geen geld om een koets te huren.

Misschien had hun vader een kar die ze konden gebruiken?

In gedachten nam Thomas nog steeds de mogelijkheden door, toen hij, ver onder de straatkeien, een vaag gerommel hoorde, alsof er een metro voorbijkwam.

„Wat was dat?" vroeg hij.

„Donder," antwoordde Linus.

„Hm, het leek van onder ons te komen," aarzelde Thomas. „En er zijn trouwens helemaal geen regenwolken."

„De baai is breed en zomerstormen komen erg snel opzetten vanuit zee." Linus keek naar de lucht. „Kijk," wees hij, „de wolken komen nu hierheen."

Thomas keek op. Vage pluimen van vegerig grijs dreven door de lucht. Hij fronste zijn voorhoofd. „Die wolken komen niet vanuit zee," zei hij tegen Linus, „ze komen vanuit de bergen."

Linus stopte midden op straat en keek in de richting van de bergen. „Je hebt gelijk… Wat raar."

En meteen beefde de grond weer onder hun voeten.

Linus' ogen gingen wijd open van angst. „Het is een god die diep in de aarde draait in zijn slaap."

„Ik denk eerder dat het een aardbeving is," zei de Droommeester.

„Dan is het niet zo erg," meende Linus. Hij wandelde weer verder, met Thomas en de Droommeester achter zich aan. „Er zijn vaak bevingen in de hete zomermaanden."

Thomas had al een tijdje zijn mond niet opengedaan. Hij

had de vreemde, grijzige wolken bestudeerd, waar er steeds meer van overdreven. Ze leken helemaal niet op wolken, zelfs niet op donderwolken. Ze leken meer op... Thomas herinnerde zich ineens het vuur in de tuin van de buurman. Hij stopte zo plotseling dat de Droommeester, die vlak achter hem liep, tegen hem aan botste.

„ Wat is er nu weer?" schreeuwde het mannetje boos.

Thomas greep de Droommeester bij zijn schouders en sprak op lage, dringende toon. „Dat zijn geen wolken in de lucht. Het is rook! Dit is het jaar 79, en volgens mij staat de vulkaan de Vesuvius op uitbarsten, en de stad Pompeji, met iedereen er nog in, zal onder puin en as bedolven worden."

# 14

Thomas wilde iets tegen Linus zeggen, maar de Droommeester hield hem tegen.

„Wacht even. Als de Vesuvius op het punt staat uit te barsten, waarom gaan we dan niet gewoon weg?"

„Mijn droomzijde is behoorlijk verbleekt," zei Thomas. „Ik heb heel veel moeite moeten doen om precies op dit moment in de Tijdruimte terug te keren, zodat ik je kon redden. Ik was er uren mee bezig. Ik kan me niet zo goed concentreren, dat weet je wel."

„Maar je droomzijde is nog niet helemaal vervaagd," hield de Droommeester vol.

Thomas knikte. „Niet helemaal, inderdaad."

„En dus…" De ogen van de Droommeester leken tot in Thomas' ziel te boren. „Jij kunt dus weg. Er zit genoeg energie in je stukje droomzijde om jou hier weg te krijgen."

„Wat gebeurt er dan met Rhea Silvia en Linus?" wilde Thomas weten. In zijn gedachten kolkte het toen hij over de mogelijkheden nadacht. Het leek zo verstandig om voor zichzelf te zorgen. De Vesuvius was tenslotte niet zijn probleem en hij kon zelf ook in gevaar komen als hij iemand anders zou helpen. En trouwens, iedereen moest tijdens het leven leren om voor zichzelf te zorgen.

Toen herinnerde Thomas zich dat Linus was opgestaan om hem te helpen, in het amfitheater. Hij dacht aan Vojek in de bibliotheek. Mensen stonden niet zomaar alleen. Soms hadden de dingen die je deed rechtstreeks invloed op andere mensen, op hun leven, hun geluk. Hoewel je sommige dingen toch alleen moest doen... zoals beslissingen nemen. En nu zat hij, Thomas, in zo'n situatie en hij had niet iemand zoals zijn opa om zijn twijfels mee te bespreken.

Thomas keek weer in de ogen van de Droommeester en schudde zijn hoofd. „Ik blijf hier om hen te helpen."

„Oké, snel dan," mopperde de Droommeester.

Thomas pakte Linus zijn hand vast. „We moeten opschieten."

De lucht was drukkend en nog een beving trilde door de stad. Mensen renden naar binnen. De rookwolken boven hen werden dikker en een stevige bui van hete hagel kwam uit de lucht vallen.

„Is het een aardbeving, zoals zeventien jaar geleden?" vroeg Linus, terwijl hij met Thomas naar huis rende.

„Dit is nog nooit gebeurd," antwoordde Thomas. „Het is geen aardbeving."

Rhea Silvia rende hen vanuit het huis tegemoet. „Er

komen mensen de stad in, vanaf de heuvels. Ze zeggen dat de wijngaarden in brand staan!"

„We moeten weg," zei Thomas. „We moeten nú weg. Zoek iets voor over je hoofd."

Linus haalde toga's* voor zichzelf, de Droommeester en Thomas om zich in te wikkelen. Rhea Silvia pakte een kussen en met Laura's riem bond ze dat op haar hoofd.

Op straat vroegen ze zich af welke kant ze op moesten gaan.

Thomas bukte en pakte een van de stenen op die uit de lucht waren gevallen. Hij was zo heet, dat Thomas hem amper in zijn hand kon houden. De kracht van de uitbarsting had deze steen vele kilometers ver weg geslingerd. Hij was grijswit en helemaal niet zwaar.

Thomas bekeek de steen nauwkeurig. Hij zat vol gaatjes, alsof er luchtbellen in zaten. Daarom was hij zo licht, bedacht Thomas. Een woord schoot door zijn hoofd. 'Puimsteen'. Hij herinnerde zich de vulkaandemonstratie van zijn vader, in de tuin. Op dit moment nam de druk diep in de magmakamer van de Vesuvius toe en werden lucht en allerlei giftige gassen opgewarmd tot een angstwekkend hoge temperatuur.

Rhea Silvia keek naar de grijze as die nu uit de hemel regende. „Ik ben van gedachten veranderd," zei ze. „Ik denk dat we beter binnen kunnen blijven."

Thomas schudde zijn hoofd. „Ik denk niet dat dat een goed idee is."

Rhea en Linus wisselden een blik.

---

*toga: gewaad van de Romeinse burger

„Waarom zou een slaaf weten wat wel of niet een goed idee is?" vroeg Rhea Silvia.

„Het is geen kleine uitbarsting," zei Thomas. „Die vallende stenen en as zijn nog niet zo erg gevaarlijk, maar wat daarna komt wel."

„We hebben vrienden in Herculaneum," vertelde Linus. „Daar kunnen we naartoe gaan."

„Nee," hield Thomas vol. „Niet Herculaneum."

„Waarom niet?" wilde Rhea Silvia weten.

„De lavastroom," zei Thomas wanhopig. „De gloeiend hete lavastroom zal langs de heuvel naar beneden komen. Die zal een rivier van kokende modder veroorzaken, en Herculaneum ligt precies op de route."

„Ik snap niet hoe het komt dat je zoveel over vulkanen weet," verbaasde Linus zich. „Mijn vader heeft me verteld dat er in het noorden geen aardbevingen en vulkanen zijn. Hij zegt dat het weer daar heel mild is."

Rhea Silvia en Linus keken Thomas allebei vragend aan.

„Ik weet het gewoon," begon Thomas, maar toen stopte hij, want hij deed nu hetzelfde tegen Rhea Silvia en Linus als waar hij zo'n hekel aan had wanneer volwassenen dat tegen hem deden: geen uitleg geven. Thomas wist hoe frustrerend het was als iets zonder uitleg verteld werd. Volwassenen deden dat vaak door te zeggen 'dat weet ik gewoon'. Zo vermeden ze lastige situaties. Maar Thomas voelde zich altijd beter als hij wist waarom hij iets deed. Linus en Rhea Silvia voelden waarschijnlijk precies hetzelfde. Thomas keek naar hun gezichten en besefte dat ze beiden doodsbang waren.

„Luister," zei hij zacht. „Ik leg het kort aan jullie uit.

Mijn vader is heel geleerd, en hij heeft de bewegingen van de aarde bestudeerd en me er alles over verteld. Onder de grond bevindt zich een groot vuur."

Linus knikte. „Ja, dat is de smederij van de grote god Vulkaan."

„Die wordt geholpen door de eenogige cyclopen," voegde Rhea Silvia eraan toe.

„Mijn vader is een beroemde wetenschapper," ging Thomas verder. „In ons land is hij bekend om zijn kennis over deze zaken."

„En wat zou hij over de situatie zeggen?" vroeg Rhea.

„Hij zou zeggen, dat het geluid dat we horen en de rook en as die we zien, van het grote vuur komen dat onder de grond woedt. Hij zou ook zeggen dat de berg het vuur niet lang meer tegen kan houden en dat de Vesuvius heel binnenkort zal uitbarsten. Hij zou zeggen dat we zo snel mogelijk, zo ver mogelijk hier vandaan moeten."

Rhea Silvia en Linus knikten.

„Ja," zei Rhea Silvia. „We begrijpen het."

„De vulkaan zal niet wachten," wist Thomas. „Niet totdat er hulp komt en ook niet totdat iedereen veilig is. Hij zal vlammen werpen en gesmolten gesteente uitspuwen tot hoog boven ons. Na een tijdje zal de grote kolom rook instorten en dan stroomt de hete lucht over ons heen. Iedereen die die lucht inademt, zal sterven. Het zal heel vreselijk zijn"

„Kunnen we sneller rennen dan die stroom?" vroeg Linus.

„Nee," antwoordde Thomas. „We moeten hier vele kilometers vandaan zijn als het gebeurt. Als het komt, zal het sneller gaan dan de beste ruiters op de snelste paarden."

„Mijn vaders kar!" riep Linus. „Die staat bij de herbergier, hier om de hoek."

„Ik pak snel wat dingen voor de reis." Rhea Silvia draaide zich om, om het huis weer binnen te gaan.

Thomas hield haar tegen. „Daar is niet genoeg tijd voor en we moeten zo min mogelijk spullen bij ons hebben. Dompel wat doeken in de fontein op de binnenplaats, dan zetten Linus en ik de kar klaar."

Toen ze terugkwamen, vertelde Rhea Silvia dat ze een paar vrouwen op straat had gesproken. „Ze zeggen dat de admiraal van de vloot zelf hierheen komt om ons te redden."

Thomas herinnerde zich zijn internetzoektocht en de uitdraai van de brief van Plinius de Jongere. „Ze zullen niet kunnen aanmeren," zei hij. „Er staat te veel wind."

„Waar kunnen we dan heen gaan?" vroeg Rhea Silvia wanhopig.

„Richting de zee." Thomas hoopte dat het klonk alsof hij wist waar hij mee bezig was. „Daar hebben we de meeste kans."

Hij stond naast Linus in de kar en kortte de teugels van de twee paarden in. Hij probeerde zich de plattegrond van Pompeji voor de geest te halen. In welke richting lag de zee?

Naast hem trilde Linus van angst. Achter hem zat Rhea Silvia laag weggedoken in de kar, waar ze werd beschermd door de Droommeester. Ze probeerden de stenen en dakpannen te ontwijken die met een hoop geraas van de gebouwen neerstortten.

Terwijl Thomas aarzelde, namen de paarden de beslissing voor hem. Opgejaagd door de herrie en de angstaanjagende sfeer, begonnen ze nerveus te draven. Thomas zag ineens de plattegrond van Pompeji voor zich: de lange, rechte lijnen van de straten waren op typisch Romeinse wijze gerangschikt. En daaromheen lag de stadsmuur met de poorten… natuurlijk! De poorten! Hij dacht aan zijn geblader in het woordenboek. De Porta Marina leidde naar de zee!

„We gaan naar de poort die naar zee leidt," legde Thomas aan Linus uit. Hij glimlachte bemoedigend naar hem. „Hou jij de zweep maar vast." Hij hoopte dat het de jongen een beetje zou afleiden als hij iets te doen had.

„Dan moeten we daarheen." Linus wees met de zweep naar de straat die Thomas in moest slaan.

Hete sintels* en fijne as hoopten zich op tegen de deuren van de winkels en de huizen. Sommige rotsblokken die de vulkaan had uitgebraakt, waren zo groot en zwaar dat meerdere gebouwen ingestort waren. De weg voor hen was geblokkeerd.

„We proberen de weg naar de Forum Baden," stelde Linus voor. „Als we die richting het westen volgen en dan afsnijden langs het Forum, dan komen we ook bij de poort naar zee."

Met veel moeite wist Thomas de kar te keren. De wielen kraakten in de dikke laag as. De grond schokte en met een enorme kracht braakte de Vesuvius weer vlammen en gesmolten gesteente uit.

---

*sintel: geheel of half uitgebrand stuk steenkool

Linus sloeg een hand voor zijn ogen. „Mogen de goden ons behoeden," fluisterde hij.

De plunderingen waren begonnen. De straat lag vol kapotte kruiken. Er stond een groep onguur uitziende mannen voor een slijterij en ze keken naar de naderende kar. Toen Thomas erlangs stuurde, probeerde een van de dieven, die gewond was aan de zijkant van zijn gezicht en uit zijn mond bloedde, de teugels van de paarden te grijpen. De paarden steigerden en maaiden met hun hoeven door de lucht.

Linus hief zijn zweep en sloeg de man op zijn hoofd. „We moeten meer vaart maken," riep hij tegen Thomas. Hij leunde naar voren en gaf de paarden een tik met de zweep.

Met angstig gebries sprongen de paarden naar voren en begonnen woest te galopperen. Thomas klemde zich vast en probeerde de kar onder controle te houden, terwijl de wielen over de keien stuiterden en vonken veroorzaakten.

## 15

Door de straten van Pompeji racete Thomas voor zijn leven. Paarden en kar kletterden langs de tempel van Jupiter en de noordkant van het Forum. Thomas rukte aan de teugels om de paarden naar links te laten zwenken. Hij zag het dak van de tempel van Apollo. Nog een bocht in de weg bracht hem dichter bij de Basilica en toen kwam de Porta Marina in zicht!

De Porta Marina was een van de smalste uitgangen van de stad. De twee gewelfde doorgangen, een voor voetgangers en een voor voertuigen, waren allebei vol verkeer. Sommige mensen wilden de stad verlaten en andere probeerden juist binnen te komen.

Thomas probeerde hen te waarschuwen. „Ga naar de zee!" riep hij. „Verlaat de stad!"

In de drukte van wagens en karren begonnen de paarden wild te stampen en met hun hoofd te schudden.

Linus sprong uit de kar en kalmeerde de paarden, terwijl Thomas hen door de drukte leidde. Toen waren ze door de poort en reden ze de heuvel af, naar de Romeinse hoofdweg.

De angst dreef de paarden voort. Linus greep zich aan beide kanten van de kar vast en Thomas klemde zijn handen om de teugels.

„Weet je ergens een plek waar we bij de zee kunnen komen, waar misschien een boot is?" riep hij naar Rhea Silvia.

„Ja!" riep Rhea Silvia terug. „Toen Linus en ik klein waren, namen de slaven ons mee naar een kleine inham, waar de vissers hun boten aanmeerden. Je komt er via de top van een klif... Zuid! Neem de weg naar het zuiden, dan let ik op de afslag."

Op een verhoging buiten de stad keken ze om naar wat er achter hen gebeurde. De kegel van de Vesuvius was bijna verdwenen achter een dik gordijn van gas en verpulverde rotsen. Een storm van grijze as daalde neer op Pompeji en een enorme duisternis spreidde zich uit over het land.

Thomas spoorde de paarden aan. „Sneller! Sneller!" riep hij.

„Hier," schreeuwde Rhea Silvia. „Hier moeten we afslaan!"

Thomas zag een onverhard pad dat naar rechts leidde en liet de paarden halt houden. Met de hulp van Linus wist hij de dieren te wenden, waarna ze weer vooruit schoten, in draf over het pad.

Al snel ging de weg op in het ruige, heuvelachtige

terrein en Thomas besefte dat ze uit zouden moeten stappen, om het laatste stuk verder te lopen.

Een hete, zwavelachtige wind huilde door de olijfbomen op de heuvels. Gewikkeld in hun toga's en met de natte doeken tegen hun mond, worstelden de vluchtelingen, diep voorovergebogen, tegen de wind in.

„Kunnen we even rusten?" smeekte Rhea Silvia.

„Nee," zei Thomas. „Het wordt nog erger. Binnen enkele uren zal er een orkaan opzetten die alles op zijn pad verwoest."

In de verte konden ze, door de duisternis heen, nog net de Vesuvius zien. Vanuit het midden bogen lichtflitsen uit een enorme rode en zwarte wolk, flitsend zilver en verblindend wit. De kokende kolom rook veranderde van vorm. Hij begon te condenseren, neer te dalen…

„Snel! Snel!" schreeuwde Thomas. „Jullie moeten in een boot zien te komen! Dan blaast de wind jullie in de goede richting."

„Ik moet even stoppen," pufte de Droommeester.

Rhea Silvia en Linus stopten.

„Schiet op! Schiet op!" riep Thomas hen toe.

Ze draaiden zich om en klommen verder.

Thomas haalde een paar keer diep adem en ging toen de Droommeester helpen. Hij greep het mannetje bij zijn armen, trok hem overeind en begon hem tegen de heuvel op te duwen. Ondertussen keek Thomas even omhoog. Tegen de lucht staken twee figuurtjes af. Ze waren er! Met een arm om haar broer heen had Rhea Silvia de top van het klif bereikt.

„Sorry! Hallo! Mag ik je wat vragen?"

Thomas draaide zich om. Een jongen met een bos zwart piekhaar rende naar hem toe.

„Wacht!" riep Thomas naar de Droommeester.

„Wat is er nu weer?" vroeg de Droommeester vermoeid.

Thomas wees naar de jongen. „Hij zegt dat hij Pietje Bell‧ heet en een geheime club van de zwarte hand wil oprichten."

De Droommeester strekte zijn arm en gaf Thomas een roffel op zijn hoofd. „Je rommelt de boel hier behoorlijk door elkaar, hè?"

Thomas keek om, maar de jongen was verdwenen en er zat een zwarte hand op de rots waar hij op stond.

„Concentreer je!" hijgde de Droommeester. „Raak dit verhaal niet kwijt. Bewaar dat maar voor een andere Tijd."

Thomas concentreerde zich zo goed mogelijk.

„Als we terug zijn, ga ik heel lang uitrusten," nam de Droommeester zich voor. „Héél lang."

Thomas dacht even na. Hij stak zijn hand uit. „Als je er wat aan hebt, mag je mijn stukje droomzijde hebben."

„Het heeft zijn eigen kracht," zei de Droommeester. „Ik kan het niet regelen."

„Waarom niet?"

„Snap je dat niet?"

De Droommeester had een uitdrukking op zijn gezicht die Thomas nog niet eerder had gezien. Spijt? Trots?

„Het is van jou, Thomas. Het hoort bij jou."

Linus en Rhea Silvia wachtten op hen op de top van het klif.

„Ik had nooit gedacht dat ik zo blij kon zijn om de zee te zien," verzuchtte Rhea Silvia.

Thomas keek waar ze naar wees. Onder en links van hen zag hij de Middellandse Zee. Het water was roerig en kolkte onder aan de kliffen, maar het was veilig genoeg om weg te komen, en... Thomas greep Linus bij zijn arm. „Kijk! Daar is een boot!" riep hij uit.

Ze tuurden door de dikke mist. Op het zand aan de waterkant lag een bootje zoals de schelpdiervissers die gebruikten. Klein genoeg voor Linus en Rhea Silvia om in te kunnen varen, maar ook groot genoeg om ze ver van de kust en het gevaar te brengen.

Linus lag plat op zijn buik aan de rand van het klif. „Daar is een pad," wees hij. „Een moeilijk begaanbaar paadje, waarschijnlijk door geiten uitgesleten, maar we kunnen er wel langs."

„Ik moet jullie verlaten," zei Thomas.

„We begrijpen het," zei Rhea Silvia. „Je moet je zuster natuurlijk gaan zoeken."

„Mijn zuster?" herhaalde Thomas. „O, eh... ja." Hij herinnerde zich dat Rhea Silvia en Linus dachten dat Laura een slavin was op een buitenplaats.

„We gaan naar jullie land, naar het noorden." Rhea Silvia sloeg een arm om haar broer heen. „Ik wil ook graag in een land wonen zonder vulkanen."

„En jullie ouders dan?" wilde Thomas weten.

„We gaan hen zoeken en vertellen wat er gebeurd is," antwoordde Rhea Silvia.

Linus knikte.

Het leek erop dat de ouders in het oude Rome weinig

met hun kinderen te maken hadden, bedacht Thomas. Of groeiden de kinderen hier veel sneller op?

Rhea Silvia ging verder. „Thomas, ik verklaar je tot een vrij man."

De drie vrienden keken elkaar aan.

Thomas voelde dat zijn droom begon te golven en merkte dat het landschap van hem wegdreef. Zijn stukje droomzijde moest aan het vervagen zijn. Ik moet hen verlaten, dacht hij, en snel. Thomas wist dat hij moest opschieten om de Droommeester op tijd terug te kunnen krijgen naar de eenentwintigste eeuw, om hem te herenigen met zijn droommantel.

„Ik moet jullie vaarwel zeggen," zei Thomas treurig.

„Wij hebben daar een mooi woord voor," vertelde Linus. „Ave. Het is zowel een begroeting als een vaarwel. Ik hoop dat we elkaar op een dag weer kunnen begroeten, ondanks ons vaarwel nu."

„Wij zeggen vaak iets Engels," knikte Thomas, „met bijna dezelfde betekenis. 'See you later'."

„Ave." Linus strekte zijn hand tot zijn vingers die van Thomas raakten. „See you later."

„Ave, Thomas." Rhea Silvia stak ook haar hand uit.

„Ave," antwoordde Thomas.

„Niet slecht," zei de Droommeester. „Helemaal niet slecht."

De Droommeester zat in kleermakerszit op Thomas' bed. Hij knikte goedkeurend. „Je hebt ons allebei veilig terug naar je eigen Tijdruimte gebracht. Alles klopt. Dag. Datum. Jaartal. Plaats."

Met een enorm opgelucht gevoel ging Thomas ook op zijn bed zitten. Hij ontspande zijn vingers rond het stukje droomzijde. Het lag stil in zijn handpalm. „Kijk," zei hij tegen de Droommeester. „Het is weer veranderd. De uiteinden zijn minder rafelig, het lijkt meer... meer... geconcentreerd en compleet."

De Droommeester bestudeerde het stukje droomzijde zonder het aan te raken. Hij hief zijn hoofd en keek Thomas een moment lang strak aan. „Je hebt een krachtige verbeelding. Die moet je goed leren gebruiken."

„De energie lijkt erdoorheen te vloeien." Thomas hield het stukje droomzijde omhoog en keek hoe het rimpelde als golven op vlak zand. „Maar je kunt niet zien waar het heen gaat of waar het vandaan komt."

De Droommeester haalde zijn schouders op. „Er zijn dingen die wij niet kunnen begrijpen."

„Maar er moet toch een middelpunt zijn," hield Thomas vol. „Een centrum voor deze kracht."

De Droommeester keek Thomas aan met ogen zo wijs als de Tijd. „Voor dit stukje droomzijde ben jij dat, Thomas. Jíj bent het centrum."

Om te zeggen dat de Droommeester boos was toen Thomas de droomcape uitrolde, was zacht uitgedrukt, zo zacht als superslappe sla.

„Volgens mij heb ik hem net op tijd gered," merkte Thomas op. „Het programma was pas bezig de trommel met water te vullen." Thomas zei maar niet dat zijn moeder het kookwasprogramma had gekozen.

De Droommeester onderzocht de drabbige massa. „Mijn

droomcape," kreunde hij. „Mijn prachtige droomcape."

Thomas hield zijn adem in, wachtend op de driftbui, maar er gebeurde niets. Het mannetje leek eerder neerslachtig dan kwaad.

„Het komt wel goed, toch?" vroeg Thomas gespannen.

„Het zal een eeuwigheid duren voor ik hem weer kan gebruiken," antwoordde de Droommeester. „Is je moeder soms gek?"

Thomas dacht niet dat zijn moeder gek was. Maar ze was wel behoorlijk doorgedraaid. In het weekend waren zijn vader en Laura al na een uur teruggekeerd van het winkelen.

„Eén uur!" riep Thomas' moeder uit. „Zijn Laura en jij het al na één uur eens geworden over kleding?"

„Geen probleem," zei Thomas' vader. „Je moet denk ik gewoon niet te moeilijk doen."

Thomas' moeder keek hen beiden wantrouwend aan. „Hoe zien de kleren er dan uit?"

„Behalve twee broeken hebben we ook een rok gekocht," vertelde Thomas' vader vol enthousiasme. „En ik denk dat zelfs jíj geen bezwaar hebt tegen de lengte ervan." Hij ging in een stoel zitten, pakte de krant en begon, met een zelfingenomen grijns op zijn gezicht, te lezen.

Pas bij het ontbijt, de volgende morgen, zagen Thomas en zijn moeder Laura in haar nieuwe schoolkleren.

Thomas' moeder nam net een hap van haar geroosterde boterham toen Laura de keuken binnenkwam. De nieuwe rok hing elegant tot bijna op haar enkels.

Thomas' moeder verslikte zich. Kleine stukjes brood

met jam sproeiden over de tafel. Zijn vader leunde opzij en klopte haar op haar rug. „Gaat het, schat?"

Met tranende ogen knikte Thomas' moeder.

Pas later, toen hij achter Laura naar de bushalte liep, zag Thomas dat Laura's rok een split aan de achterkant had, tot vlak onder haar billen...

## 16

Juf Marjan was heel tevreden over het werk aan het vulkanenproject. Ellen had een schaalmodel gemaakt, met frambozenjam die als lava langs de heuvel droop.

Inez had onderzoek gedaan naar vulkanische activiteiten van nog niet zo lang geleden, met ingescande foto's van uitbarstingen in Afrika en op Sicilië.

Vicky had besloten dat ze vulkanoloog wilde worden. Ze had een loopbaanbeschrijving toegevoegd aan haar project, met de apparatuur die nodig is bij het veldwerk van de mensen die onderzoek doen vlak bij actieve vulkanen.

Juf Marjan had Thomas haar complimenten gegeven voor zijn levendige 'ooggetuigenverslag', met een beschrijving van een uitbarstende vulkaan en zijn tekeningen van een wetenschappelijk experiment over hoe een vulkaanuitbarsting ontstaat. Ze was vooral onder de indruk geweest van zijn collectie *dinarii*. Toen ze hem vroeg hoe hij aan de kleine, zilveren muntjes kwam, met het hoofd van een oude Romeinse heerser erop, had Thomas haar verteld dat zijn opa ze in Italië had gevonden. Hij dacht niet dat ze hem zou geloven als hij de waarheid zou vertellen, namelijk dat hij ze had opgeraapt uit het zand in het amfitheater in Pompeji, vlak voordat de Vesuvius uitbarstte.

SPQR.

Juf Marjan liep voor haar groep uit naar de afdeling Oudheidkundige voorwerpen in het plaatselijke museum. „SPQR." Ze wees naar een spandoek vlak achter de deur. „Weet iemand wat dat betekent?"

Ellen stak haar hand als eerste op. „Het is Latijn, juf. Het betekent de Senaat en het Volk van Rome. Ze gebruikten dat toen het Romeinse Rijk een republiek was."

„Goed zo!" riep juf Marjan uit. Ze stelde zich voor aan een mevrouw van het museum, die klaarstond om hen rond te leiden. „Ik heb hier vandaag de beste groep van de school voor u."

Thomas' vrienden glimlachten naar elkaar.

Dat vind ik echt leuk aan juf Marjan, dacht Thomas, dat ze altijd zo positief is en iedereen aanmoedigt.

„Er is hier vroeger een Romeinse nederzetting geweest," begon de gids. „Tijdens opgravingen in dit gebied zijn er heel wat kunstvoorwerpen aan de oppervlakte gekomen. We hebben sandalen, servies, keukenspullen, juwelen, en vlak buiten de stad liggen overblijfselen van een badhuis en barakken voor de soldaten."

„Niets over gladiatoren?" vroeg Inez.

„Je zou naar Rome moeten om beelden van gladiatoren te zien," antwoordde de gids.

„Of Pompeji," voegde Thomas eraan toe.

De museumgids knikte. „Ja, ik geloof dat ze ook gladiatorengevechten hadden in Pompeji."

„We hebben vulkanen bestudeerd," legde juf Marjan uit. „Daarom weet mijn groep wel wat van Pompeji, vooral Thomas."

„De uitbarsting waarbij Pompeji werd bedolven, vond plaats in het jaar 79 na Christus," ging de gids verder. „Sommige van deze voorwerpen zijn van na die tijd. De Romeinse legers zijn hier lang geweest en veel mensen van het Romeinse Rijk vertrokken zelfs nooit. Ze vestigden zich hier en trouwden met de lokale bevolking. Ze zouden onze voorvaderen kunnen zijn."

Zouden Rhea Silvia en Linus Nederland hebben gevonden? Thomas vroeg het zich af, terwijl ze achter de gids aan liepen. Het zou een lange en gevaarlijke reis zijn geweest, maar ze leken er allebei van overtuigd dat ze het zouden gaan doen. Thomas was verdrietig, omdat hij er nooit achter zou komen. Een droom eindigde waar hij eindigde, volgens de Droommeester, en Thomas kon niet teruggaan naar die ene droom om erachter te komen wat er met zijn vrienden was gebeurd. Hij kon zelfs geen enkele eigen droom dromen, totdat de droommantel van de Droommeester zich had opgeladen. Bovendien had de Droommeester hem verboden om zijn eigen stukje droomzijde te gebruiken – hij moest zich eerst beter leren concentreren.

„Thomas, even opletten." Juf Marjan stootte hem aan.

„De soldaten van een legioen hadden de gewoonte om een altaar of een beeld op te richten in elke plaats waar ze neerstreken. Soms konden ze die meenemen, soms waren ze te zwaar." De gids stopte voor een langwerpige tekening, uitgehakt in steen, die hoog was geplaatst tegen de achterste muur van het museum.

„Deze gedenkplaat is gevonden in een veld dicht bij ons stadje. Het is in reliëf uitgehakt, dat betekent dat de afbeelding is gebeeldhouwd uit een vlakke steen. De figuren en objecten liggen daarom hoger dan de achtergrond."

Thomas en zijn klasgenoten gingen dichter bij elkaar staan om te kijken naar wat de gids aanwees.

Thomas knipperde met zijn ogen.

„Aan de onderkant kun je letters zien en de Romeinse schrijfwijze VIII voor het cijfer 8. Daaraan kunnen we afleiden dat het achtste legioen hier geweest is."

Thomas stapte dichterbij. Er was iets bekends aan de afbeelding. Had hij die niet eerder gezien? Maar de gids zei dat zoiets nooit ergens anders gevonden was. Met zijn ogen nog steeds op het beeldhouwwerk gericht, draaide hij zijn hoofd om te horen wat ze verder vertelde.

„Wat vooral anders is dan anders, is dat er slechts twee personen zijn afgebeeld, allebei jonge mensen, een jongen en een jonge vrouw. Dit zou een vrije Romeinse vrouw kunnen zijn met haar persoonlijke slaaf, of een jongen met zijn kinderjuffrouw."

Thomas' ogen schoten heen en weer van de jongen naar het meisje en weer terug. Hij hapte naar adem.

„Wat denk jij?" vroeg de gids aan hem.

„Ik denk…" zei Thomas langzaam, terwijl zijn hart steeds sneller begon te slaan, nu hij meer details onderscheidde. „Ik denk… dat ze op een broer en zus lijken."

„Daar heb ik nooit aan gedacht." De gids deed een stap achteruit en hield haar hoofd scheef. „Dat is een heel interessant idee."

„Thomas heeft altijd interessante ideeën," merkte Vicky op.

„Het zou ook kunnen dat het meisje een minder belangrijke godin voorstelt," ging de gids verder. „De Romeinen aanbeden goden, godinnen en allerlei soorten geesten. Ze bouwden er zowel enorme tempels als kleine altaartjes voor. In ieder huis werden de goden van het huishouden vereerd, door ze een eigen tempeltje, een *lararium*, te geven. Het zou kunnen dat de soldaten die hier gevestigd waren een speciale belangstelling hadden voor deze jonge vrouw. Dit beeldhouwwerk kan een voorstelling van een bosnimf zijn, bijvoorbeeld."

Intussen was Thomas helemaal vooraan komen te staan. Zijn hart bonkte en zijn ogen glinsterden.

„De jongen is aan het tekenen en rond zijn voeten liggen kleine stukjes steen, die *tesserae* genoemd werden," ging de gids verder. „Ze werden in verschillende kleuren en maten gebruikt om mozaïeken te maken. Misschien ontwerpt hij een afbeelding van de godin om een muur of vloer mee te decoreren."

Thomas schrok op. Wat had de gids net gezegd? Thomas keek nog nauwkeuriger. Ja, dat wáren stukjes mozaïek, verspreid tussen de voeten van de twee figuren.

Ze moesten het zijn! Thomas kneep van geluk even zijn ogen dicht. Rhea Silvia en Linus waren toch veilig in Nederland aangekomen!

„Er staan drie letters bovenaan, een R en een S dicht bij elkaar en er staat een L. L is het Romeinse cijfer vijftig..."

„Nee," onderbrak Thomas haar. „L staat voor Linus."

„Zou kunnen." De gids keek Thomas onderzoekend aan. „In dat geval, waar zouden volgens jou de R en de S dan voor staan?"

„Rhea Silvia," zei Thomas.

„Silvia betekent 'bos', dus dat zou goed passen bij mijn theorie van de bosnimf." De gids keek heel blij.

„En Rhea Silvia was de moeder van Romulus en Remus," voegde juf Marjan eraan toe. „Je kon wel eens gelijk hebben, Thomas."

Thomas zei niets meer. Hij was nu gerustgesteld. Zijn vrienden waren uit Pompeji ontsnapt en in Nederland aangekomen. Het zag ernaar uit dat ze mozaïekmakers waren geworden, met zo'n goede reputatie dat er zelfs een beeldhouwwerk van hen gemaakt was. Of zou Linus het zelf gebeeldhouwd hebben? Thomas herinnerde zich Linus' tekening van de Droommeester en glimlachte.

„De letters en cijfers langs de onderkant zijn deels ont-raadseld." De gids gleed met haar vingers langs de inscripties. „CUL en dan VIII, dus de Romeinse schrijfwij-ze voor het cijfer 8, en ten slotte de letter R. Je zou kunnen zeggen dat de R voor Rome staat. We moeten nog steeds overeenstemming bereiken over wat CUL betekent."

„Dat lijkt me een mooie opdracht voor de groep," zei juf Marjan. „Als we weer op school zijn, kunnen we allemaal proberen de afbeelding na te tekenen en een eigen vertaling bedenken van de letters."

Thomas' ogen volgden ondertussen de tekst. CUL VIIIR. Als je deed wat de gids zei en je veranderde VIII in het cijfer 8, dan stond er CUL8R. Thomas zei de namen van de letters geluidloos in het Engels, alsof hij playbackte, en zijn mond viel open van verbazing. Dat was wat hij tegen Linus en Rhea Silvia gezegd had, toen ze afscheid namen. CUL8R: see you later. Zie je later – de Engelse manier om 'tot ziens' te zeggen…

„Jullie zien dat het meisje een riem om heeft." De gids was alweer aan het vertellen. „Het is een heel bijzondere riem. Op geen enkele andere afbeelding van Romeinen is zo'n soort riem te zien."

Thomas voelde het ineens prikkelen in zijn nek. Hij keek strak naar de afbeelding. Die riem leek op Laura's riem.

Thomas keek nog eens naar de twee personen. Toen stak hij zijn hand uit en raakte met zijn vingertoppen de uitgestrekte handen aan.

De gids zag dit en glimlachte naar Thomas. „Onze dagelijkse gewoonte om handen te schudden is al tweeduizend jaar lang doorgegeven. Als je iemand ontmoette, stak je je hand uit. Dat was om te laten zien dat je niet naar je zwaard greep."

„Ik weet het nog," mompelde Thomas.

„Dan zei je de ander gedag door 'ave' te zeggen. Het is Latijn en het betekent zowel 'welkom' als 'vaarwel'."

„Ave," zei Thomas zacht tegen de figuren op de steen. „Ave, Linus. Ave, Rhea Silvia."

De groep ging verder naar het volgende onderdeel van

de expositie en Thomas wendde zich langzaam af om mee te lopen. Toen stopte hij en keek snel nog eens om. Helemaal in zijn verste ooghoek was een heel korte beweging zichtbaar. In een milliseconde van de Tijd leek het of Rhea Silvia's hand en die van Linus zich uitstrekten en gedag zwaaiden.

Maar dat was alleen zijn verbeelding.

Toch?